IB Spanish B

Standard and Higher Level

Helena Matthews

About this book

Congratulations on buying this Revision Guide! If you love Spanish and have bought this book at the start of your IB Spanish course, it will guide you through each stage, reinforce what you are doing in class and always put you a step ahead of the others. However, if you have bought this book just before the exams and you need a last push to help you improve your Spanish grade, then it will provide you with plenty of revision tips and exam strategies to help you cut a few corners and maximise your performance. Whatever your reason for buying this book, I am confident that it will help you achieve a higher grade in Spanish, because it has:

✓ Straightforward explanations in English to help you understand concepts quicker

✓ Authentic texts and exam style questions to practise for Paper 1

✓ Model examples of all Text Types to prepare you for Paper 2

✓ A winning formula for the HL Reasoned Argument

✓ Model examples of the Written Assignment & Rationale

✓ Ideas and tips for Interactive Orals

✓ Colour photos to practise the Individual Oral

✓ A winning structure for the Individual Oral presentation

✓ Example Interactive and Individual orals to listen to online

✓ Practical advice on how to improve your language marks

Whether you are HL or SL, you need to score consistently highly if you are aiming for a 7 as you can afford to drop very few marks overall. However, I really believe that a 7 is achievable as long as you know what is expected of you. Approximately 20,000 students take Spanish B each year. Of these, about 7% get a 7 at SL and about 22% get a 7 at HL. If you work though this book and really take the advice on board, there is no reason why you shouldn't be one of them.

Get in touch on Facebook/Oxford Study Courses or /IB Spanish Revision Guide if you have any questions about IB Spanish B or want to share your success story.

¡Suerte!

Contents

Introduction

Syllabus

There are 3 Core Topics (***Temas troncales***) which you must study, and 5 Option Topics (***Temas opcionales***), of which you need to study 2. The following subtopics are suggestions. All the topics must be approached from the perspective of Spanish speaking countries & cultures, and comparisons be made with your own culture. The topics are vast, so you probably won't cover all aspects of them, but as there is quite a lot of overlap, it is likely that you will cover more than the minimum 2 options. For example, *la inmigración* could be studied from the perspective of *Cuestiones Globales* and *Diversidad Cultural*; or *los deportes* could be covered under *Salud* or *Ocio*. In addition, HL must study 2 works of literature.

Temas Troncales		
Relaciones sociales	**Cuestiones globales**	**Comunicación y medios**
- Familia y amigos - Educación y empleo - Comportamientos sociales - Estructuras políticas - Lengua e identidad - Minorías - Tabúes sociales - Celebraciones sociales y religiosas	- Medio ambiente - Cambio climático - Especies en peligro de extinción - Globalización - Guerra y paz - Economía internacional - Pobreza - Alimentos y agua - Migración - Racismo y discriminación - Narcotráfico	- Medios de comunicación - Internet - Teléfonos móviles - Correo tradicional - Prensa y ética periodística - Censura - Publicidad - Radio y televisión

Temas opcionales				
Diversidad cultural	**Costumbres y tradiciones**	**Salud**	**Ocio**	**Ciencia y tecnología**
- Diversidad de la población - Lenguas minoritarias - Competencia intercultural - Creencias y valores - Migración - Gastronomía	- Eventos históricos - Fiestas - Trajes nacionales - Tradiciones y protocolo - Gastronomía - Arte	- Dieta - Ejercicio físico - Conceptos de belleza - Cirugía - Enfermedades - Salud mental - Drogadicción	- Deportes - Entretenimiento - Arte - Vida social - Juegos - Turismo y viajes - Aficiones - Lectura - Cine	- Impacto de la informática en la sociedad - Avances en la medicina - Investigación científica - Energías renovables - Exploración espacial

HL Literatura
2 obras literarias - de cualquier autor, de cualquier género: novelas, poesía, obras de teatro.

Assessment outline

HL	External assessment				Internal assessment		
	Paper 1	Paper 2		Written Assignment	Individual Oral	Interactive Oral	**Total**
		Section A	Section B				
	/60	**/25**	**/20**	**/25**	**/20**	**/10**	**/160**
criteria	1 mark per question	Language Message Format	Language Argument	Language Content Format Rationale	Productive skills Receptive & Interactive skills		
	25%	**25%**		**20%**	**20%**	**10%**	**100%**

SL	External assessment			Internal assessment		
	Paper 1	Paper 2	Written Assignment	Individual Oral	Interactive Oral	**Total**
	/45	**/25**	**/25**	**/20**	**/10**	**/125**
criteria	1 mark per question	Language Message Format	Language Content Format Rationale	Productive skills Receptive & Interactive skills		
	25%	**25%**	**20%**	**20%**	**10%**	**100%**

Make sure you have copies of the Assessment Criteria for each component – ask your teacher or IB coordinator for them.

Which topics relate to which type of assessment?

Temas troncales:
relaciones sociales, comunicación y medios, cuestiones globales

- Paper 1 SL/HL
- Paper 2 HL Section B Reasoned Argument
- Written Assignment SL
- Interactive orals SL/HL

Temas opcionales:
diversidad cultural, costumbres y tradiciones, salud, ocio, ciencia y tecnología

- Paper 2 SL/HL
- Individual oral SL/HL

HL Literatura

- Paper 1 HL literary texts
- Written Assignment HL

Language skills developed on the IB Spanish course

Receptive
reading & listening

+

Productive
writing & speaking

=

Interactive
having a conversation & demonstrating intercultural competence

Text Types

		SL		HL		
		P1	P2	P1	P2	B
1	Folleto, hoja informativa, panfleto, anuncio *Brochure, leaflet, pamphlet, flyer, advertisement*	✓	✓	✓	✓	
2	Conjunto de instrucciones, directrices *Set of instructions, guidelines*	✓	✓	✓	✓	
3	Blog / entrada en un diario íntimo *Blog / diary entry*	✓	✓	✓	✓	
4	Correspondencia (carta, correo electrónico) *Correspondence (letter, email)*	✓	✓	✓	✓	
5	Artículo *Article*	✓	✓	✓	✓	
6	Crónica de noticias *News report / article*	✓	✓	✓	✓	
7	Informe *Official report*	✓	✓	✓	✓	
8	Propuesta *Proposal*				✓	
9	Reseña *Review*	✓	✓	✓	✓	
10	Entrevista *Interview*	✓	✓	✓	✓	
11	Discurso, charla, presentación, introducción a debate *Speech, talk, presentation, introduction to debate*		✓		✓	
12	Ensayo *Essay*	✓	✓	✓		✓
13	Relato corto, novela, poema *Short story, novel, poem*			✓		

Intercultural competence - is it assessed?

Yes, even though it is not explicitly stated in any of the assessment criteria, it is an implicitly understood element of message / content / ideas. Given that one of the principal objectives of Spanish B is to develop your intercultural understanding, the examiners want to see **evidence of your ability to reflect on similarities and differences between Hispanic cultures and your own culture**. "Your own culture" can be where you live, where you originally come from, or whichever culture you feel you belong to. You should make cultural comparisons in your Orals, your Paper 2, and your Written Assignment. Intercultural understanding contributes to the international dimension of the IB.

Chapter 1   Paper 1: Receptive skills

Paper 1 is reading comprehension, lasts **1hr 30mins** (+5mins reading time) and is **worth 25%** of your final mark. You will have a **Text Booklet** and a **Question & Answer Booklet**. All answers must be written in the Question & Answer Booklet. Each text will be a different Text Type, for instance, an article, a report, an interview and a blog (see Chapter 2). The texts will be from a variety of Spanish speaking countries and will be based on the **Core Topics:** *Relaciones sociales, Cuestiones globales, Comunicación y medios.*

At SL you will have 4 texts and 45 questions.
The texts tend to increase in difficulty according to the diagram below, so it's worth thinking about dividing your time accordingly. You could use the following rough guide for timing:

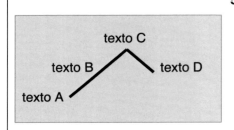

	5 minutes reading time:	**skim read the texts and read through the questions**
Text A	10 mins	
Text B	20 mins	
Text C	30 mins	
Text D	20 mins	
Checking	<u>10 mins</u>	
	= 1hr 30 mins	

At HL you will have 5 texts and 60 questions.
The texts tend to increase in difficulty according to the diagram below. One of the texts (B, C, D or E) will be literary (an extract, short story, poem or song), so may appear to have nothing to do with the Core Topics. Don't worry, you will *not* have to analyse it, but will be tested on your comprehension in exactly the same way as the other texts. (NB: you could get 2 literary texts!) Think about dividing your time according to the complexity of the texts; you could use this as a rough guide:

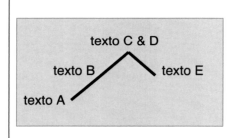

	5 minutes reading time:	**skim read the texts and read through the questions**
Texto A	10 mins	
Texto B	15 mins	
Texto C	20 mins	
Texto D	20 mins	
Texto E	15 mins	
Checking	<u>10 mins</u>	
	= 1hr 30 mins	

In this chapter, you will find 12 texts accompanied by comprehension questions: 4 at SL, 4 at HL and 4 Literary Texts. All the texts are authentic, written by a wide variety of authors, and the questions reflect the range of IB-style comprehension questions, so that you get used to the format and expectations of the paper. ***These texts are at the higher end of difficulty (and some are a bit longer than exam texts), so it would be a good idea to attempt them closer to the exam.*** All the answers are at the back of the book.

Paper 1 exam skills

✓ **Always copy the exact words from the text,** exactly as they are written, never paraphrase and **never use your own words**.

✓ Only use the **minimum number of words to answer the question**, not full sentences; if you include more than a couple of extra words either side you may lose the mark.

✓ The questions are almost always in order, so refer carefully to the paragraph or line numbers given in the question.

✓ If it asks for *la palabra*, just use <u>1 word</u>, if it asks for *dos palabras*, just use <u>2 words</u>.

✓ Una *"frase"* is just *part* of a sentence, and can be a verb, an expression, or a group of words.

✓ The exam rubrics are always expressed in the *"tú"* form (from May 2013 onwards).

Question types and rubrics

- **Comprensión general** → Who, what, how, why type questions. Remember, use **exact** words from the text, eg: *Busca la palabra / expresión del texto que significa.*

- **A, B, C ó D** → Identify the meaning of a word or expression, the feelings of a character, or even the main purpose of the text, eg: *Basándote en el sentido general del texto, elige la opción correcta. Pon la letra correspondiente en la casilla a la derecha.*

- **Verdadero o falso + justificación** →You must get both the True or False <u>and</u> the justification correct to get 1 mark, eg: *Contesta a las preguntas siguientes, indicando si son Verdaderas o Falsas. Escribe las palabras que justifican tu respuesta.*

- **Faltan las preguntas / subtítulos** → Insert the missing interview questions / headings. Read the text really carefully to discard deliberate distractors, eg: *En el texto, faltan los subtítulos / las preguntas. CUIDADO: hay más opciones de las necesarias.*

- **Conectores** → Insert the missing connecting words (or occasionally other types of words, eg: nouns). Look out for subjunctive structures such as *para que*, eg: *Relaciona los espacios numerados con una de las palabras de la siguiente lista.*

- **Solo tres frases son verdaderas de la lista** → From a list of statements, identify which ones are true, or which ones summarise ideas from the text, eg: *Indica las frases que recojan ideas del texto / Selecciona las frases apropiadas de entre las que vienen a continuación. CUIDADO: Hay más frases de las necesarias.*

- **Pronombres y relativos** → Identify who or what a pronoun (*lo, las*, etc.) or relative (*que, quien*, etc.) refers to, eg: *Completa el cuadro siguiente, indicando a quién o a quiénes se refieren las palabras subrayadas.*

- **Emparejar el principio y el final de las frases** → Match up the beginnings and endings of sentences. There are usually more endings than necessary, eg: *Relaciona cada principio de frase de la columna de la izquierda con el final adecuado de la columna de la derecha.*

- **Completar las frases** → Finish these sentences using words from the text, eg: *Escoge las frases correctas para completar las oraciones.*

- **Completar el resumen** → Fill in the blanks in the summary using words from the text, eg: *Completa los espacios en blanco con palabras que encontrarás en el texto.*

¿SUFRES DE PROCRASTINACIÓN AMBIENTAL?

¡No dejes para mañana lo que puedes hacer hoy!

Procrastinación: difícil de decir pero muy fácil de entender. Parece que todos sufrimos de procrastinación, tú, yo, el vecino de enfrente, nuestra
5 familia, etc. Pero si hablamos de procrastinación ambiental, parece que el efecto se multiplica. Supongo que tendréis ganas de saber en qué consiste, pues ¡ahí va!
10 Procrastinación: el hábito de aplazar las cosas que deberíamos hacer hoy.

Conocemos diariamente cuáles son las tareas más importantes, y
15 conocemos también la necesidad casi imperante por hacer algo por nuestro entorno más cercano. Nos bombardean continuamente con información sobre cómo reciclar, que
20 hay que ahorrar agua y energía, pero aunque sabemos que nos tenemos que poner manos a la obra, parece que no llega el momento adecuado.

25 Las distracciones son tan poderosas que nos permiten evadirnos de lo que no tenemos ganas reales de hacer, aunque nuestras razones sean firmes e incluso necesarias: "Hoy no puedo...
30 No me he acordado...etc."

El problema es que estamos dejando apartado algo tan importante como mejorar nuestra calidad de vida, y lo que puede parecer un acto
35 desinteresado incluso gracioso puede ocasionar una epidemia de comportamiento ambiental incapaz de ser controlada.

Si quieres, puedo ayudarte, pero
40 tienes que ser tú el que dé el primer paso. Empieza con estas cuatro simples reglas:

- Puedes empezar poco a poco, pero empieza.
45 - Infórmate en Internet de los pequeños gestos que puedes hacer en casa, en el trabajo o de compras por el medio ambiente.
- Piensa en ti y en los demás
50 también, la procrastinación ambiental también afecta a las generaciones venideras.
- Busca los beneficios personales de colaborar en la mejora del
55 medio ambiente.

El esfuerzo de nuestros mayores consiguió que nuestra Sierra se muestre como hoy la vemos. ¿Qué queremos dejar nosotros a nuestros
60 hijos? Ellos probablemente no sabían el significado de procrastinación, pero sí el de sentido común y naturalidad. Ahora parece que esas palabras se han perdido.
65

¡No te dejes vencer por la procrastinación y ponte en acción!

Concepción Macías Sánchez, Área de Medio Ambiente, www.almanatura.es (2011)
Reproducido con permiso

Busca en el texto la palabra o palabras que significan: (líneas 1-20)

Ejemplo: comprender . . . . *entender* . . . .

1. aumentar   . . . .

2. retrasar   . . . .

3. dominante   . . . .

4. acosar   . . . .

5. ¿Qué expresión entre las líneas 17 a 24 es equivalente a "hacer un esfuerzo inmediato"?

. . . .

Basándote en las líneas 22 a 37, relaciona cada principio de frase de la columna de la izquierda con el final adecuado de la columna de la derecha. Escribe la letra en la casilla correspondiente.

Ejemplo:... Aunque quisiéramos hacer algo...	**A**	**A.** ***parece que nunca tenemos tiempo.***
6. Las tareas cotidianas a veces sirven...	☐	**B.** causar problemas ambientales.
7. Lo que empieza como un gesto generoso...	☐	**C.** responsabilidades que nos dejan sin tiempo.
8. Ignorar el medio ambiente ahora...	☐	**D.** no sabemos exactamente qué hacer.
		E. de excusa para esquivar nuestras responsabilidades.
		F. mejorará nuestra calidad de vida.
		G. puede perjudicar la calidad de vida a la larga.
		H. puede resultar gratificante.

¡Ojo! Remember, the words you need for your answer are in the text – copy the exact words from the text!

9. ¿Por qué no debemos pensar simplemente en las consecuencias a corto plazo de no cuidar el medio ambiente? *(líneas 49 a 55)*

. . . .

10. Según el texto en general, la gente practica la procrastinación ambiental por:

    A.   falta de tiempo.
    B.   falta de información.
    C.   falta de motivación.
    D.   falta de sentido común.

☐

¡Ojo! All of these are mentioned as factors, but which is the overall reason for not helping the environment?

EL USO DE INTERNET EN EL MÓVIL DISMINUYE LA TELE AUDIENCIA ENTRE LAS 18 Y 20 HORAS

Sábado 16 de julio de 2011 10:30 | Escrito por Constanza Mahecha

❶ **El creciente uso de smartphones ha obligado a las empresas de publicidad a replantear sus estrategias para que los mensajes de sus clientes lleguen al *target* deseado. Y es que el uso de estos dispositivos ya está robando audiencia a la hasta**
5 **ahora imbatible televisión. Así lo demuestra el estudio realizado por la firma especializada en formatos de publicidad 'madvertise'. Según su investigación, la franja entre las 18 y las 20 horas, es por donde ha empezado a hacer agua la teleaudiencia que, con Internet en el móvil, no pierde minuto**

10 **para conectarse a las redes sociales o para consultar su periódico de cabecera, aunque delante tenga la pequeña pantalla. Un comportamiento que se incrementa durante los minutos de 'publi', momento en el que los usuarios se olvidan del mando pero no para centrarse en los mensajes sino para disfrutar de su teléfono.**

15 ❷ El informe –elaborado entre un total de 1.400 usuarios con smartphones– muestra cómo el comportamiento de los usuarios y el uso que hacen de los distintos soportes varían en función de la franja horaria. En este sentido, confirma a la radio como el medio sin competencia entre las 7 y las 9 de la mañana, ya que es un horario en el que los españoles prácticamente no utilizan otro soporte, sea éste la televisión o el móvil.
20

❸ En las horas siguientes, el consumo paralelo del teléfono móvil y la televisión aumenta ligeramente hasta el inicio del *prime time*, donde el uso simultáneo de ambos medios vuelve a descender. En el horario de máxima audiencia en televisión –de 20 a 22 horas–, los españoles dejan a un lado sus smartphones para centrarse de lleno en los contenidos audiovisuales.
25

❹ Así las cosas, los **[– 7 –]** no tendrán más remedio que buscar nuevas fórmulas publicitarias y replantear sus estrategias para que el mensaje llegue finalmente a los **[– 8 –]**. Según el director general de madvertise España, Andreas Akesson, "el uso paralelo de ambos medios repercute negativamente en la efectividad de la publicidad en televisión. Para evitar esta **[– 9 –]**
30 de atención de la audiencia y asegurar que sus mensajes conecten correctamente con su *target*, los anunciantes deben lanzar campañas multisoporte".

❺ En España la inversión de publicidad en la telefonía móvil subió un 18,5% en el primer trimestre del año y se prevé que aumente un 12% a finales de 2011. En la actualidad,
35 smartphones, iPhones y tabletas concentran cerca del 6% del consumo total nacional de Internet, pero todo apunta a que su crecimiento será imparable en los próximos años. Las previsiones señalan que el uso de Internet móvil superará en Europa los 1.000 millones de usuarios en 2011, llegando prácticamente a duplicarse en los próximos cuatro años. Además, la "adicción" a los sistemas móviles seguirá creciendo hasta el punto de aumentar del orden del 600% antes de
40 2013.

Constanza Mahecha, http://www.zonamovilidad.es (2011)
Reproducido con permiso

* multisoporte: campaña publicitaria que emplea una variedad de medios de comunicación incluso prensa, tele, Internet, vídeo, etc. (en inglés: multiplatform)

Las siguientes frases referidas al párrafo ❶ son verdaderas o falsas. Indica con [✓] la opción correcta y escribe las palabras del texto que justifican tu respuesta.

1. Las empresas tienen confianza en sus tácticas de publicidad.   ☐ ☐

    Justificación: . . . .

2. Se presta menos atención a la televisión entre las 18-20 horas.   ☐ ☐

    Justificación: . . . .

3. Se aprovechan los anuncios para cambiar de canal.   ☐ ☐

    Justificación: . . . .

Basándote en información de los párrafos ❷ y ❸, escoge las frases correctas para completar las oraciones.

4. El factor decisivo a la hora de elegir qué medio utilizar es ...

    . . . .

5. Por la mañana, no hay ningún medio que sea más popular que ...

    . . . .

6. Entre las 20-22 horas, la mayoría de españoles se decanta por ...

    . . . .

¿Qué palabras faltan en los espacios en blanco (párrafo ❹)? Escoge las palabras de la lista y escríbelas en los espacios correspondientes.

AUMENTO	PUBLICIDAD	CONSUMIDOR
COMPAÑÍAS	GANANCIA	DESTINATARIOS
ANUNCIANTES	AUDIENCIA	PÉRDIDA

7. . . . .

8. . . . .

9. . . . .

10. ¿Cuál de estas afirmaciones es correcta según la información en párrafo ❺?

    A. A finales de 2011, el ritmo de inversión de publicidad en la telefonía móvil descenderá comparado con meses anteriores.   ☐
    B. En los próximos años, el consumo de los smartphones y tabletas llegará a su máximo.
    C. Dentro de cuatro años habrá 1.000 millones de usuarios de telefonía móvil.
    D. La tasa de adicción se estabilizará antes del 2013.

GUÍA DE CONSEJOS PRÁCTICOS POR UNAS FALLAS*
SEGURAS Y RESPONSABLES

Las Fallas hay que disfrutarlas al máximo, sin pasarnos y sin perdernos nada. Ahora que ya olemos a pólvora y empieza la fiesta es importante tener en cuenta una serie de consejos. Los petardos, las motos y el alcohol forman parte de las Fallas pero
5   **pueden ser muy peligrosos si no los utilizamos con control.**

    ✓ Si te gusta tirar petardos asegúrate de haberlos comprado en lugares autorizados, de tirarlos en sitios indicados y, sobre todo, de no hacerlo en lugares donde hay mucha gente o niños.

10

    ✓ La pólvora es divertida pero en según qué condiciones puede resultar peligrosa.

    ✓ Guarda y transporta los petardos de forma segura, no los manipules ni los metas en botes y papeleras: es muy peligroso y destroza el mobiliario de la ciudad.

15

    ✓ Si vas bebido, guarda los petardos, si no calculas bien los riesgos puedes lamentarlo.

    ✓ El alcohol forma parte de las verbenas, casales, etc. Si vas a beber, asegúrate de
20   que es de calidad y de no pasarte.

    ✓ En Fallas, la edad mínima para beber sigue siendo los 18 años. Aunque los más jóvenes se pongan pesados hay que procurar que no beban.

25   ✓ Si bebes, no te pases con las copas ni mezcles cubatas, chupitos, vino y cervezas.

    ✓ Con la moto se va muy bien en Fallas, pero sin pasarse de listo: respeta las normas de circulación, los cortes de tráfico y los peatones que pasean por la ciudad. Y para ir a la mascletá, siempre con casco, sin hacer caballitos y por supuesto sin alcohol
30   en el cuerpo.

    ✓ Durante las Fallas merece la pena patear, ver mascletás, monumentos, la ofrenda, las verbenas, etc. Infórmate de lo mejor que se hace en estas Fallas y ve con tus amigos. Por el camino vendrá bien hacer una parada para comerse unos buñuelos
35   con chocolate.

    ✓ Recuerda que en Fallas también hay gente que trabaja. Durante los días laborables intenta molestar lo mínimo.

40   ✓ Acuérdate de usar el 112 en situaciones de emergencia.

¡Y SOBRE TODO VAMOS A PASARLO MUY BIEN,
QUE ESTAMOS EN FALLAS!

Controla club (2012)
Reproducido con permiso

* Fallas: fiesta en Valencia en que se prende fuego a grandes figuras de papel maché

Busca en el texto la palabra o palabras que significan: (líneas 1-5)

Ejemplo: gozar . . . . *disfrutar* . . . .

1. respetar los límites . . . .

2. aprovecharlo todo . . . .

3. pensar en . . . .

4. explosivos . . . .

Basándote en la información entre las líneas 4 a 14, escoge la palabra o las palabras correctas para completar las oraciones.

5. Se permite la mayoría de actividades en Fallas, siempre que se ejerza ...

. . . .

6. Aunque te los ofrezcan más baratos, siempre hay que adquirir los petardos en ...

. . . .

7. Para evitar provocar incendios con los petardos es preciso que no ...

. . . .

8. ¿Qué significa "lamentarlo" en línea 17?

      A.   Arriesgarse
      B.   Arrepentirse   ☐
      C.   Alegrarse
      D.   Alumbrarse

Solamente cuatro de las siguientes frases (A - H) son verdaderas según la información entre la línea 19 hasta el final del texto. Escribe las letras correspondientes, en cualquier orden, en las casillas a la derecha.

      A.   Las Fallas no son días festivos para todo el mundo.   ☐

      B.   Lo único que importa en Fallas es pasarlo bien.

      C.   Es mejor dejar la moto en casa debido al tráfico.   ☐

      D.   El alcohol y los petardos son una combinación poco aconsejable.

      E.   Los menores pueden beber alcohol con la supervisión de un adulto.   ☐

      F.   En Fallas, suelen vender alcohol de mayor calidad.

      G.   Hay que divertirse y respetar a los demás.   ☐

      H.   Se recomienda probar dulces típicos de la fiesta.

La competencia intercultural en el ámbito empresarial

❶ Para ejecutivos que trabajan una temporada en el extranjero en cargos de alta responsabilidad, es importante saber que puede haber diferencias significativas en aspectos como estilos directivos, jerarquías y maneras de motivar a los empleados. Al trabajar en un equipo internacional, hay que tener en cuenta que puede haber diferencias esenciales en aspectos como de qué manera se toman decisiones, cómo se solucionan conflictos, cómo se critica el trabajo de un colega y cómo se manejan agendas de reuniones.

[– X –]

❷ En culturas como la alemana, muchas veces se sigue estrictamente la agenda de una reunión, incluido el horario de cada punto a tratar. Para otras culturas, como la española, una agenda de reunión puede tener un fin meramente orientativo. Cada enfoque de trabajo tiene sus ventajas y sus desventajas: una agenda rígida asegura que se tratarán todos los puntos importantes, aunque dificulta la espontaneidad. En cambio, si se permite flexibilidad en la agenda, aumenta la probabilidad de creatividad e innovación, si bien muchas veces no se llegan a tratar todos los puntos inicialmente considerados importantes. Tendemos a interpretar maneras de trabajar diferentes según la lógica de nuestra propia cultura: a un alemán, una reunión en la que no se sigue el *planning*, le puede parecer "caótica", mientras a un español, le puede molestar la "inflexibilidad" de una reunión en la que se sigue estrictamente el *planning* inicial.

[– 3 –]

❸ El estilo comunicativo alemán es más directo que el español. Muchos alemanes, para decir que no les interesa una propuesta, utilizarán directamente la palabra "no", mientras que en culturas de comunicación más indirecta un rechazo se suele expresar de forma más sutil, como con un "quizá" o "ya veremos". Es posible que un español, menos acostumbrado a un estilo

de comunicación directo, se ofenda ante un "no" directo de un alemán. En cambio, un alemán, acostumbrado a que las cosas se dicen tal y como son, tal vez se llevará una sorpresa cuando al cabo de un tiempo se da cuenta de que el "bueno, ya lo hablaremos" del otro en realidad significa un "no".

[– 4 –]

❹ De la misma manera que los ejemplos citados, hay muchas más diferencias que influyen en el ámbito laboral. Cada vez hay más libros y páginas web con reglas de cómo comportarse en una cultura determinada. Si a primera vista parecen que nos pueden dar información valiosa acerca de aspectos de protocolo y etiqueta, cuando se trata de aspectos que se refieren a la interacción entre personas, hay que tener en cuenta toda una serie de limitaciones. Aunque se pueden describir tendencias de comportamiento de miembros de una cultura, puede haber muchas variaciones. Además, el comportamiento de alguien puede cambiar radicalmente cuando actúa con una persona de otra cultura. Tal vez han podido observar casos en los que, por ejemplo, unos alemanes, que por motivos de negocios pasaban unos días en España, no llegaban puntuales a una reunión, pensando que "en España, es así", mientras que los españoles llegaban incluso antes de la hora, por la fama de "puntualidad absoluta" de los alemanes.

[– 5 –]

❺ Para interactuar de manera eficiente con personas de otras culturas, en vez de estudiarse supuestas reglas de comportamiento, es mejor desarrollar la así llamada "competencia intercultural", la capacidad de comportarse de forma apropiada y eficaz en el encuentro intercultural. No sólo basta con adquirir conocimientos concretos sobre una cultura determinada, [–X–] hay que ser consciente de la propia cultura y de la propia personalidad, incluidos los valores propios y prejuicios. Para desarrollar la competencia intercultural es importante ser abierto, flexible, empático [–14–] buen comunicador, saber reaccionar [–15–] la incertidumbre, así como tener la disposición de aprender cosas nuevas y la capacidad de adaptarse [–16–] perder los propios valores. Estas habilidades se pueden aprender en *trainings*, *coachings* y [–17–] mediadores interculturales, enfocados de forma individual, [–18–] equipos e incluso empresas completas. El número de las empresas que preparan a sus empleados para un contacto internacional [–19–] estos recursos, crece constantemente.

Susanne Rieger, coach y supervisora certificada, Anne Rupp, formadora intercultural certificada
INTERACT en diálogo, S.C.P.
Tel. +34 680 56 2115 I indialogo@telefonica.net I http://www.indialogo.es
Reproducido con permiso

NB: This text is longer than a normal exam text but is a good explanation of what the IB means by Intercultural Competence.

Contesta con palabras tomadas del párrafo ❶ del texto.

1. ¿En qué dos contextos principales se recomienda familiarizarse con las diferencias laborales?

   (a) . . . .

   (b) . . . .

2. ¿Qué **palabra** es equivalente a "orden de importancia"?

   . . . .

En el texto faltan los subtítulos. Relaciona cada espacio numerado del texto (de 3 a 5) con uno de los subtítulos de la columna de la derecha. CUIDADO: hay más subtítulos de los necesarios.

Ejemplo: [– X –]	**A**	**A.**	***Manejando agendas de reunión***
3. [– 3 –]	☐	**B.**	Trainings para desarrollar la competencia intercultural
4. [– 4 –]	☐	**C.**	Descuentos para empresas que quieran desarrollar la competencia intercultural
5. [– 5 –]	☐	**D.**	Un "no" no es siempre un "no"
		E.	Aprender las tendencias de comportamiento de la cultura
		F.	Las limitaciones de reglas de comportamiento
		G.	Es mejor decir "no" de manera directa

Contesta con palabras tomadas de los párrafos ❷ y ❸ del texto.

6. ¿Qué **frase** del texto significa que los puntos a tratar en una reunión son simplemente sugerencias?

. . . .

7. ¿Qué **dos** resultados positivos pueden surgir de una agenda flexible?

. . . .

8. ¿En qué nos basamos a la hora de juzgar diferentes maneras de trabajar?

. . . .

9. ¿Qué suele significar el "ya veremos" de un español?

        A.   Probablemente
        B.   Depende
        C.   Seguramente que no
        D.   Quizás

10. ¿Cómo se siente un español cuando un alemán le dice que "no"?

. . . .

11. ¿Qué expresión significa "decir las cosas de manera literal"?

. . . .

Las siguientes frases referidas al párrafo ❹ son verdaderas o falsas. Indica con [✔] la opción correcta y escribe las palabras del texto que justifican tu respuesta.

	VERDADERO	FALSO
12. Los libros con reglas de comportamiento solo sirven hasta cierto punto.	☐	☐

Justificación: . . . .

	VERDADERO	FALSO
13. Cuando tratamos con personas de otras culturas, no siempre nos comportamos acorde con las tendencias de nuestra propia cultura.	☐	☐

Justificación: . . . .

. . . .

¿Qué palabras faltan en los espacios en blanco (párrafo ❺)? Escoge las palabras de la lista y escríbelas en los espacios correspondientes.

POR	CON	DURANTE
ANTES DE	MEDIANTE	PARA
Y	SIN	ANTE
TAMBIÉN	PARA QUE	NO OBSTANTE

Ejemplo: [– X –] . . . . *también* . . . .

14. . . . .

15. . . . .

16. . . . .

17. . . . .

18. . . . .

19. . . . .

> **¡Ojo!** Make sure you know the difference between:
> - ***para / para que***
> *para* is usually followed by an infinitive or a noun; *para que* is always followed by the subjunctive.
> - ***antes (de) / ante***
> *antes* = before (in time)
> *ante* = before (in space), facing, in front of, eg: "to stand before a great work of art".
> And if ***sino*** and/or ***también*** are options, there will probably be a ***no sólo**** nearby.
> * The RAE removed the accent from *solo* in 2010 but you will probably still encounter it written with the accent.

*Basándote en el párrafo ❺ completa los espacios numerados en este resumen **con una palabra que encontrarás en el texto** en su forma adecuada.*

> Antes se pensaba que aprender las *[–X–]* de comportamiento de otras culturas era suficiente para interactuar en los negocios internacionales de manera eficaz. Resulta que esta estrategia no *[–20–]* ya que también hace falta reconocer los valores de uno mismo y saber *[–21–]* en cada situación. Las empresas tienen cada vez más interés en contratar a *[–22–]* que puedan enseñar a sus empleados los principios de la competencia intercultural.

Ejemplo: [– X –] . . . . *reglas* . . . .

20. . . . .

21. . . . .

22. . . . .

AYUDA EN ACCIÓN PROMUEVE LA REPRODUCCIÓN Y SUELTA A MÁS DE 100.000 TORTUGAS MARINAS EN EL SALVADOR

27/01/2011 | Cuatro de cada siete tortugas marinas visitan las playas salvadoreñas para anidar. Especies como la Baule, la Golfina, la Prieta y la Carey pasan por allí pero los saqueos y el consumo humano de sus huevos empiezan a hacer mella en la población de
5   tortugas.

Por eso, hace ya un año Ayuda en Acción inició un proyecto de protección y recuperación de la tortuga marina en la Bahía de Jiquilisco que consiste en sensibilizar a la población, fortalecer sus capacidades y, además, construir un centro de interpretación y cuatro corrales de incubación para las tortugas. El resultado de este trabajo se puede
10   medir en los más de 100.000 neonatos de tortuga marina liberados hasta la fecha.

Otro resultado positivo del trabajo de conservación de la tortuga marina son las visitas de las tortugas Baule para anidar. Esta especie está en peligro crítico de extinción y es raro verla anidando en la Bahía de Jiquilisco. "Fue emocionante haber visto a una tortuga Baule de dos metros de longitud anidando 72 huevos que ya se están incubando
15   en el corral", cuenta Xiomara Henriquez, técnica en biodiversidad en el área de desarrollo de Jiquilisco.

El trabajo de sensibilización ambiental se llevó a cabo en diez escuelas de la zona, se prepararon varias actividades que incluyeron proyecciones de cine y vídeo, lecturas, obras de teatro y concursos para más de 600 niñas y niños. Se organizó también una
20   liberación de tortugas con estudiantes de los centros escolares de las comunidades donde se ubican los corrales de incubación.

Un componente importante de la estrategia de sensibilización ha sido la capacitación de los recolectores de huevos de tortuga abordando temas de conservación de tortugas marinas, legislación ambiental, participación comunitaria, manejo de desechos sólidos y
25   limpieza de playas. Estos recolectores son quienes ahora proporcionan medidas y datos de las tortugas que anidan para la base de datos. A pesar de que en este país tropical existe desde 2009 una veda total y permanente del consumo de huevos de tortugas marinas, es muy común en otras playas el saqueo y comercialización de los huevos de tortuga para el consumo humano.

30   Para que los habitantes del área de desarrollo así como los visitantes puedan identificarse y considerarse como parte de la solución en la conservación de la tortuga marina se construyó un centro de interpretación ambiental. En él se exponen las tortugas como criaturas prehistóricas y se señala que están en peligro de extinción. Educa también sobre la Bahía de Jiquilisco y su importancia para el equilibrio climático y
35   para la conservación de cientos de especies y plantas, un proyecto que ha sido posible gracias a la financiación de la Fundación Biodiversidad, la Obra Social Caja Madrid y Ayuda en Acción.

La conservación de la tortuga marina es también importante en la promoción del ecoturismo en la zona,
40   a fin de que puedan generarse posibilidades de ingresos para la población de la Bahía de Jiquilisco, protegiendo y haciendo un manejo responsable de los recursos naturales.

www.ayudaenaccion.org · 91 522 60 60

www.ayudaenaccion.org (2011)
Reproducido con permiso

Busca en el texto la palabra o palabras que significan: (líneas 1-11)

1. poner sus huevos   . . . .

2. robo   . . . .

3. provocar una disminución   . . . .

4. concienciar   . . . .

5. éxito   . . . .

> *¡Ojo! Although you will be given the same type of word to find (verb, noun, adjective, etc) the synonym will not necessarily be in the same form in the text, eg: a verb could be conjugated or a noun could be in the feminine plural form.*

Contesta a las preguntas, basándote en las líneas 12-17.

6. ¿Por qué **dos razones** ha sido tan emocionante ver anidar la tortuga Baule?

(a) . . . .

(b) . . . .

7. ¿Qué expresión indica que pudieron proteger a los 72 huevos?

. . . .

8. Solamente tres de las siguientes frases son verdaderas según la información en las líneas 18-38. Escribe las letras correspondientes, en cualquier orden, en las casillas de la derecha.

		Ejemplo:	A

A. *Involucraron a los niños de la región mediante una variedad de actividades interactivas.*

B. La prohibición de robos de huevos ha dado resultados positivos.

C. Sólo los profesionales participaron en la liberación de tortugas.

D. Los recolectores de huevos ahora tienen responsabilidades claves en el estudio de las tortugas.

E. El centro de interpretación ambiental se dirije principalmente a los turistas.

F. El centro de interpretación cuenta con el apoyo de varios organismos benéficos.

G. La Bahía de Jiquilisco alberga una gran cantidad de flora y fauna.

H. Debido a que sea una actividad ilegal, ya no hay gente que compre los huevos.

9. ¿De qué manera podrá beneficiarse la población de la Bahía de Jiquilisco de la promoción del ecoturismo? *(líneas 37 a 42)*

. . . .

LA FRÁGIL MEMORIA DE LA INFORMÁTICA

Revista Ñ | *10/02/12* | POR *ANDRES HAX*

① ¿No tiene usted en su hogar una caja de zapatos lleno de fotos tomadas hace veinte años o más? ¿O cartas escritas de puño y letra hace ochenta años o más? De todas las fotos que sacó en los últimos años con su cámara digital (¡o con su teléfono!), ¿cuántas podrán ver sus hijos dentro de veinte años? ¿Cuántas han sido impresas y cuántas existen solamente en una fantasmal secuencia de ceros y unos? Seguramente ahora mismo tiene en su hogar una vieja computadora que ya no anda pero que almacena viejos trabajos universitarios, por ejemplo. Seguramente, dependiendo de su edad, tiene viejos discos *floppy* o zip llenos de datos pero a los que no va a poder acceder porque vaya a encontrar una PC con una lectora de disquetes.

② Este es uno de los dilemas y las ironías de nuestra era digital. Nunca antes el ciudadano común ha producido tanta información pero a la vez, nunca han cambiado con tanta rapidez los soportes físicos de la información, volviéndose a la vez obsoletos y, por lo tanto, atrapando la información que crean dentro de ellos. ¿Estamos viviendo en una era oscura de la información? Todos sus actos diarios de afirmación del presente, todos sus actos de memoria —sacar una foto, escribir mensajes de texto a un amigo, filmar un video, o leer un artículo en un sitio Web— son chapuzones infértiles en un gran mar del olvido.

③ Tomen el ejemplo y extiéndanlo a un marco institucional. Lo mismo que le pasa a cada uno en pequeña escala sucede en todo tipo de organización,

sea un gobierno, una corporación, un laboratorio científico, una universidad, un diario... Si aceptamos el postulado de que los archivos que genera una civilización son la memoria de esa civilización, y también que esos archivos serán la ventana por la cual futuras generaciones nos llegarán a comprender, conocer y estudiar, entonces empezamos a caer en la cuenta de lo importante que es el archivo digital. Si lo que estamos haciendo desaparece, nosotros desapareceremos.

④ Aparte de la digitalización de materiales que existieron antes de la era digital, está el problema más complejo de preservar material que nació en formato digital. En teoría, un archivo digital es inmaterial y por consecuencia tiene una vida ilimitada. Pero un archivo digital depende de a) hardware: el dispositivo sobre el cual se hace la lectura del texto; y b) de software: el programa que interpreta ese archivo para que aparezca sobre el dispositivo. Y el hardware y software están —como cualquiera que tenga un celular sabe— en frenética y continua evolución. Un texto escrito en Microsoft Word de 1996, para ser leído en el año 2189 va a tener que ser migrado a los sistemas de software y hardware de ese año futuro.

⑤ En junio del 2011, la UNESCO realizó una **[– X –]** sobre el "libro de mañana", y uno de los temas centrales fue la **[– 16 –]** de la construcción de archivos digitales. Kristine Hanna, la directora de Servicios de Archivos del sitio Internet Archive, nos explicó: "Es una **[– 17 –]** que si algo está en la Web estará allí para siempre. La vida [– 18 –] de una página Web es de entre 45 y 100 días. Y una vez que ese contenido desaparece de la Web, desaparece para siempre. La Web se está convirtiendo en nuestro [– 19 –] social, es nuestra cultura. Es importante que capturemos y archivemos todo lo que sea posible".

⑥ Internet es una de las creaciones más insólitas, enormes e inesperadas de la humanidad. Según una infografía del sitio CurationSoft, de 2011, se suben 48 horas de contenido a You Tube por minuto; se comparte 3.5 mil millones de contenidos en Facebook por semana; Flickr contiene más de cinco mil millones de fotos; Google recibe unas 11 mil millones de búsquedas por mes.

Algo colosal está pasando en la cultura globalizada. Un fervor, una locuacidad y productividad sin precedentes. Es inabarcable y no para. Allí, escondido entre toda la data, está la historia secreta de nuestra época. La que ni siquiera vemos porque la tenemos demasiado cerca. Las generaciones futuras tendrán la perspectiva para entender todo esto. Pero le tenemos que guardar lo que hemos hecho. Si no, todo habrá sido en vano y dejaremos un vacío como legado. Lo digital es frágil y si queremos dejarles a nuestros hijos esa caja de zapatos, habremos de trabajar un poco para que nuestros archivos no se queden atrapados para siempre dentro de la máquina.

Andres Hax, Revista Ñ, www.clarín.com (2012)
Reproducido con permiso

> **NB: This text is longer than a normal exam text but is an interesting reflection on the topic of Comunicación y medios.**

Contesta con palabras tomadas del texto, de los párrafos ① y ② del texto.

1. ¿Qué expresión es equivalente a escrito "a mano"?

. . . .

2. ¿A qué proceso se han sometido las fotos que existen fisicamente?

. . . .

3. ¿Qué expresión es equivalente a "ahora no funciona"?

. . . .

4. En la frase "a los que no va a poder acceder", ¿a qué se refiere los?

. . . .

5. ¿Con qué expresión indica el autor lo poco común que son las computadoras que leen disquetes?

. . . .

6. En la era digital, ¿quién puede publicar la información que quiera?

. . . .

7. ¿Qué está desarrollándose demasiado rápido?

. . . .

8. ¿Con qué palabras sugiere el autor que los seres humanos son ignorantes de su situación histórica?

. . . .

9. ¿Con qué palabras se expresa en el texto la inutilidad de grabar memorias de forma digital?

. . . .

Basándote en el párrafo ③, indica con una [✓] si las siguientes frases son verdaderas (V) o falsas (F). Justifica tus respuestas con elementos del texto.

	V	F

10. Las grandes organizaciones suelen salvarse del obsoletismo digital. ☐ ☐

Justificación: . . . .

11. Los documentos escritos cuentan la historia de cada generación. ☐ ☐

Justificación: . . . .

12. No dejaremos rastro alguno si no archivamos de forma duradera. ☐ ☐

Justificación: . . . .

Basándote en el párrafo ④, contesta a las siguientes preguntas.

13. El material que hay que digitalizar se diferencia en dos categorías. ¿Cuáles son esas **dos** categorías?

(a) . . . .

(b) . . . .

14. ¿Qué **dos** elementos son esenciales a la hora de leer un archivo digital?

. . . .

15. ¿Qué otro dispositivo se desarrolla con la misma rapidez que los ordenadores?

. . . .

¿Qué palabras faltan en los espacios en blanco (párrafo ⑤)? Escoge las palabras de la lista y escríbelas en los espacios correspondientes.

ESTUDIO	MÁXIMA	URGENCIA	INUTILIDAD
VERDAD	FALACIA	MÍNIMA	***CONFERENCIA***
PROMEDIA	RED	TEJIDO	DIGITAL

Ejemplo: [– X –] . . . . ***conferencia*** . . . .

[– 16 –] . . . .

[– 17 –] . . . .

[– 18 –] . . . .

[– 19 –] . . . .

Basándote en párrafo ⑥, busca las palabras que significan:

20. inusual . . . .

21. imprevisto . . . .

22. monumental . . . .

23. entusiasmo . . . .

24. ilimitado . . . .

25. El texto menciona **dos** consecuencias de no archivar la información que producimos en la era actual para las generaciones futuras. ¿Cuáles son estas dos consecuencias? *(párrafo ⑥)*

(a) . . . .

(b) . . . .

26. El objetivo del texto es:

    A.   Persuadir de comprar ordenadores más modernos.

    B.   Informar de una nueva campaña nacional de digitalización.

    C.   Reflexionar en el resultado de producir tanta información descontrolada.

    D.   Advertir que pronto nuestras fotos desaparecerán.

LA NOCHE DE SAN JUAN: ALIADA DEL FUEGO Y TRADICIONES POPULARES

❶ Una de las celebraciones con mayor simbolismo en todo el mundo cristiano es la onomástica de San Juan Bautista. Pese a que existe un gran arraigo en las zonas costeras, el fuego purificador de esa noche mágica no sólo es propiedad del litoral, sino que los municipios del interior, también tienen diversas celebraciones cuyos orígenes se pierden en la historia.

❷ Santa Ana la Real es uno de los pueblos serranos en los que todavía se sigue celebrando el solsticio de verano en torno al fuego. El cariz purificador de este elemento toma la céntrica Plaza de España, en la que los santaneros saltan la 'sanna', término con el que se refieren a la hoguera en la que se quema la manzanilla silvestre recolectada durante la madrugada del día 24 de junio. La combustión de esta planta impregna de aromas no sólo el ambiente, sino la ropa de todos los valientes que, generalmente en parejas, saltan sobre las altas llamas durante la celebración. Para completar el acto de purificación de esta noche mágica los participantes en el salto de la 'sanna' acuden a la cercana Fuente de los Tres Caños para lavar sus manos y cara, paso previo al recorrido por las casas de Juanes y Juanas, que agasajan a todos quienes acuden a felicitarlos por su onomástica.

❸ Pero los rituales de la noche de San Juan no sólo se circunscriben a estas fiestas. Con el inicio de la primavera, los campos del Parque Natural se llenan de las populares flores de San Juan (*hypericum perforatum*), ejemplares con pétalos amarillos que crecen en herbazales, junto a los caminos y en sitios soleados. Su nombre común en la Sierra viene no

sólo por su época de floración (durante el mes de junio), sino porque es un ingrediente básico en muchas casas de la comarca durante la noche y la mañana de la festividad de San Juan.

❹ Toda la magia que envuelve a esta fecha tiene un sitio reservado para esta flor con historia. En la Edad Media, se quemaban en las casas en las que se creía que había entrado el diablo, hasta tal punto que era conocida como 'espantademonios'. Popularmente se dice que atrae amor y cura la melancolía, algo que no es descabellado, ya que es un reconocido antidepresivo natural, así como el aceite de su maceración se utiliza, con gran eficacia, para afecciones dermatológicas.

❺ Los días previos a la festividad cristiana del Bautista, hombres y mujeres recorren los campos para recolectar estas flores, muy abundantes por todo el Parque. Durante la noche de San Juan, las flores se depositan en un cubo de agua para cumplir con una ceremonia heredada de generación en generación. A la mañana siguiente, el agua servirá para que toda la familia se lave la cara, como símbolo de regeneración. Es difícil explicar el sentido de esta tradición, que en otros lugares sustituye a la flor de San Juan por pétalos de rosa o romero, aunque a buen seguro que tiene mucho que ver con sus presuntas propiedades mágicas, esenciales en el solsticio de verano.

Manuel Rodríguez, www.entornonatural.net (2011)
Reproducido con permiso

Contesta las siguientes preguntas, basándote en el párrafo ❶.

1. ¿Qué expresión es equivalente a "Día de Santo"?

. . . .

2. ¿Se sabe dónde originaron las tradiciones en las que el fuego es el protagonista?

. . . .

Basándote en los párrafos ❷ *y* ❸, *indica con una* [✓] *si las siguientes frases son verdaderas (V) o falsas (F). Justifica tus respuestas con elementos del texto.*

	V	**F**
3. Las celebraciones en torno al fuego promueven la fertilidad.	☐	☐

Justificación: . . . .

4. Los más valientes saltan la sanna solos. ☐ ☐

Justificación: . . . .

5. Los que se llaman Juan o Juana agradecen la atención que reciben. ☐ ☐

Justificación: . . . .

6. Las flores de San Juan crecen mejor en la sombra. ☐ ☐

Justificación: . . . .

7. Según el párrafo ❹, la flor de San Juan tiene **dos** usos medicinales. ¿Cuáles son?

(a) . . . .

(b) . . . .

Basándote en el párrafo ❺, *busca la palabra que significa:*

8. anterior . . . .

9. recoger . . . .

10. copioso . . . .

11. meter . . . .

12. supuesto . . . .

'Eva', emoción artificial

<u>Juan Luis Caviaro</u> 8 de noviembre de 2011 I 20:46

f me gusta   7

Director: Kike Maíllo
Guión: Sergi Belbel, Cristina Clemente, Martí Roca y Aintza Serra
5   **Reparto**: Daniel Brühl, Marta Etura, Alberto Ammann, Lluís Homar, Claudia Vega

Este fin de semana se estrenó 'Eva', una producción de apenas 4 millones de euros de presupuesto. De nuevo tenemos una película española muy comentada antes del estreno, que finalmente es recibida con un contundente desinterés general; vista por cuatro gatos. Presentada
10   en los festivales de Venecia y Sitges, donde sus excelentes efectos visuales se llevaron un merecido galardón, merecía mejor suerte una propuesta tan arriesgada como 'Eva'.

La película está ambientada en un futuro cercano en el que los seres humanos viven rodeados de criaturas mecánicas, unas más toscas que son creadas [– X –] realizar determinados
15   trabajos y otras más sofisticadas, los androides, que tienen como función atender o acompañar a las personas. Álex (Brühl) es un famoso ingeniero cibernético que vuelve a casa [– 5 –] diez años de ausencia para trabajar en un gran proyecto de la Facultad de Robótica, la creación del primer niño robot. [– 6 –] todo llama la atención cómo se nos sumerge rápidamente en un entorno "retrofuturista" en el que los robots están totalmente integrados en la vida diaria. Quizá
20   habría sido más acertado ir poco a poco, no mostrar [– 7 –] pronto todos los avances tecnológicos, [– 8 –] lo que importa es lo que está en la pantalla, y Maíllo consigue disimular las carencias con una puesta en escena muy eficaz que saca partido a los efectos digitales.

Pero esto no es una superproducción así que todo se centra en los actores. Álex es recibido por su hermano David y enseguida se evidencian viejas rencillas entre ellos. Unas fotos y un par de
25   conversaciones nos aclaran tanto la agrietada relación entre ambos como sus opuestas personalidades; Álex es más reservado y frío, solitario y adicto al trabajo, mientras que David es más cercano y familiar, sentimental e inseguro. Éste vive con Lana, pero desde el principio resulta obvio que es una situación fruto de las circunstancias, que la mujer se quedó con un hermano porque el otro, a quien quería realmente, se largó de allí. A la subtrama del triángulo
30   amoroso se une el hallazgo de Eva por parte de Álex. Él necesita un niño real que le sirva de ejemplo para crear el cóctel de emociones del robot que le han encargado, y queda cautivado por la vitalidad de la niña que, vaya casualidad, resulta ser hija de Lana y David. Lana prohíbe a Eva que se relacione con Álex, pero la chica no tiene miedo a nada (ese rojo a lo Caperucita) y acabará descubriendo todos los secretos de los adultos... Me hace gracia que en la sinopsis
35   oficial se refieran a la primeriza Claudia Vega, que encarna a Eva, como "la increíble hija de Lana y David", porque así es, el personaje resulta increíble, inverosímil.

'Eva' es una hora y media de buenas intenciones que no llegan a cristalizar. Se acierta con la localización (esos helados y duros parajes tan simbólicos), se resuelve con inteligencia el asunto robótico (fantástico trabajo animando a "Gris"), los referentes son adecuados ('Inteligencia
40   Artificial', '2001: una odisea del espacio') y el trabajo lumínico y sonoro es impecable. Por otro lado, la historia es demasiado endeble y previsible y los actores parecen algo desorientados, siendo la notable excepción Homar, cuyo entrañable personaje tiene la función de ser el principal contrapunto cómico del relato. En definitiva, una película muy irregular en el que el balance entre logros y torpezas posiblemente dependa de cada espectador. Yo no me aburrí, pero tampoco me
45   ha dejado huella. Y al salir del cine solo quería hablar de lo maravillosa que es 'Inteligencia artificial'...

Juan Luis Caviaro, <u>www.blogdecine.com</u> (2011)
Reproducido con permiso

Basándote en las líneas 1 a 11, encuentra las expresiones del texto que significan que:

1. la película provocó curiosidad

. . . .

2. muy poca gente fue a ver la película

. . . .

3. la película ganó un premio

. . . .

4. la idea de la película era atrevida

. . . .

¿Qué palabras faltan en los espacios en blanco (líneas 13 a 22)? Escoge las palabras de la lista y escríbelas en los espacios correspondientes.

PARA	DESPUÉS	ANTE	SI
COMO	TAN	DADO QUE	PERO
POR	SINO	TRAS	TANTO

Ejemplo: [– X –] . . . . *para* . . . .

5. . . . .

6. . . . .

7. . . . .

8. . . . .

Contesta las siguientes preguntas basándote en las líneas 23 a 27.

9. ¿Qué expresión demuestra el papel clave de los intérpretes?

. . . .

10. ¿Qué dos expresiónes utiliza el autor para describir que los hermanos no se llevan bien?

(a) . . . .

(b) . . . .

Completa el cuadro siguiente, como en el ejemplo.

En la expresión...	la palabra...	en el texto se refiere a...
Ejemplo: entre <u>ambos</u>... (línea 25)	*"ambos"*	. . . . Alex y David . . . .
11. <u>Éste</u> vive con Lana... (línea 27)	"éste"	. . . .
12. a <u>quien</u> quería realmente... (línea 29)	"quien"	. . . .
13. que <u>le</u> sirva de ejemplo... (líneas 30-31)	"le"	. . . .
14. <u>que</u> vaya casualidad... (línea 32)	"que"	. . . .

15. ¿Con qué personaje ficticio compara el autor a Eva para ilustrar su carácter intrépido? *(líneas 30-35)*

. . . .

Las preguntas 16 a 18 se refieren a los espacios en blanco que aparecen en el fragmento siguiente. Completa el fragmento, como en el ejemplo, con palabras que encontrarás entre las líneas 37 a 46 en su forma adecuada.

> La película "Eva" no es la primera que explora la idea de inteligencia artificial, pero en la mayor parte no logra **[– X –]** sus ideas. El mayor defecto es que el desenlace es algo **[– 16 –]** y que los actores no son muy creíbles, aparte de uno que añade un elemento **[– 17 –]**. No obstante, algunos efectos especiales son fantásticos y la música es **[– 18 –]**.

Ejemplo: [– X –] . . . . *cristalizar* . . . .

16. . . . .

17. . . . .

18. . . . .

19. ¿Cuál fue la impresión general del autor de la crítica de "Eva"?

      A.   Duda que a nadie le guste.

      B.   No le causó una impresión profunda.

      C.   Le pareció fantástica.

      D.   No era aburrida en absoluto.

Higher Level Literary texts

Reading literary texts enables you to develop your range of vocabulary and idioms, your appreciation of style and rhetorical devices, your ability to interpret meaning and your intercultural understanding of Spanish speaking countries. In Paper 1, there is always a "literary" text (usually Text B, C, D or E), meaning that the vocabulary, style and use of idiomatic language is considerably more complex than the other texts and is naturally the text most students find the hardest. The questions, however, will be similar to the other texts (true/false + justification, fill in gaps, pronouns, conjunctions, etc.). Exposure to literature should also form an integral part of your course in order to develop your ability to use language creatively in the Written Assignment. Rest assured that you will not be expected in any of the exams to critically analyse literary texts using academic terminology or be assessed on your knowledge of any particular text or author.

I think that the best way to prepare for the literary text is to read short stories and extracts by a **wide variety of authors**, rather than ploughing through whole novels. To give you an idea of possible authors to go for, this Literary Map identifies **authors that have been used in previous IB Spanish B HL exams**. Note how many are Latin American. (For more ideas, see the list of recommended reading for HL on p115-116).

España
Julio Llamazares
Luisa Castro
Bernardo Atxaga
Elvira Lindo

México
Ángeles Mastretta
Octavio Paz
Juan José Arreola

Nicaragua
Gioconda Belli

Panamá
Rubén Blades (poesía)

Venezuela
Pedro Emilio Coll

Colombia
Gabriel García Márquez
Plinio Apuleyo Mendoza

Perú
Mario Vargas Llosa

Uruguay
Mario Benedetti

Chile
Pablo Neruda
Roberto Bolaño

Next you will find 4 examples of literary texts with practice questions. You should aim to spend about 20 minutes on each literary text. To help you refine your timing, I recommend that you also do as many past papers as possible. In addition, make sure you study the **HL essential glossary of literary vocabulary** in Chapter 5 (p162-163).

A note about irony: often the reason students get stuck on the literary text is because they can't quite believe that what they are reading is serious. Be willing to let go of rational thought as there may be some fanciful notions or humour intended in the literary texts. Juan José Arreola is a good example of an author whose texts convey irony, as is Literary text 1 on the next page.

EL TECHO

El viaje por el canal favorecía la marcha, y Orgaz se mantuvo en ella cuanto pudo. Pero el viento arreciaba; y el Paraná, que entre Candelaria y Posadas se ensancha como un mar, se encrespaba en grandes olas locas. Orgaz se había sentado sobre los libros para salvarlos del agua que rompía contra la lata e inundaba la canoa. No pudo, sin embargo, sostenerse más, y a

5 trueque de llegar tarde a Posadas, enfiló hacia la costa. Y si la canoa cargada de agua y cogida de costado por las olas no se hundió en el trayecto, se debe a que a veces pasan estas inexplicables cosas.

La lluvia proseguía cerradísima. Los dos hombres salieron de la canoa chorreando agua y

10 como enflaquecidos, y al trepar la barranca vieron una lívida sombra a corta distancia. El ceño de Orgaz se distendió, y con el corazón puesto en sus libros que salvaba así milagrosamente corrió a guarecerse allá.

Se hallaba en un viejo galpón de secar ladrillos. Orgaz se sentó en una piedra entre la ceniza, mientras a la entrada misma, en cuclillas y con la cara entre las manos, el indio de la canoa

15 esperaba tranquilo el final de la lluvia que tronaba sobre el techo.

Orgaz miraba también afuera. ¡Qué interminable día! Tenía la sensación de que hacía un mes que había salido de San Ignacio. El Yabebirí creciendo. . . la mandioca asada. . . la noche que pasó solo escribiendo. . . el cuadrilátero blanco durante doce horas. . .

Lejos, lejano le parecía todo eso. Estaba empapado y le dolía atrozmente la cintura; pero esto

20 no era nada en comparación del sueño. ¡Si pudiera dormir, dormir un instante siquiera! Ni aun esto, aunque hubiera podido hacerlo, porque la ceniza saltaba de piques. Orgaz volcó el agua de las botas y se calzó de nuevo, yendo a observar el tiempo.

Bruscamente la lluvia había cesado. El crepúsculo calmo se ahogaba de humedad, y Orgaz no

25 podía engañarse ante aquella efímera tregua que al avanzar la noche se resolvería en nuevo diluvio. Decidió aprovecharla, y emprendió la marcha a pie.

En seis o siete kilómetros calculaba la distancia a Posadas. En tiempo normal, aquello hubiera sido un juego; pero en la arcilla empapada las botas de un hombre exhausto resbalan sin avanzar. Aquellos siete kilómetros los cumplió Orgaz caminando por las tinieblas más densas,

30 con el resplandor de los focos eléctricos de Posadas en la distancia.

Sufrimiento, tormento de falta de sueño, y cansancio extremo y demás, sobrábanle a Orgaz. Pero lo que lo dominaba era el contento de sí mismo. Cerníase por encima de todo la satisfacción de haberse rehabilitado, –así fuera ante un inspector de justicia. Orgaz no había nacido para ser funcionario público, ni lo era casi; según hemos visto. Pero sentía en el corazón

35 el dulce calor que conforta a un hombre cuando ha trabajado duramente por cumplir un simple deber y prosiguió avanzando cuadra tras cuadra, hasta ver la luz de los arcos, pero ya no reflejada en el cielo, sino entre los mismos carbones, que lo enceguecían.

* * *

40 El reloj del hotel daba diez campanadas cuando el Inspector de Justicia, que cerraba su valija, vio entrar a un hombre, embarrado hasta la cabeza, y con las señales más acabadas de caer, si dejaba de adherirse al marco de la puerta.

Durante un rato el inspector quedó mudo mirando al individuo. Pero cuando éste logró avanzar y puso los libros sobre la mesa, reconoció entonces a Orgaz, aunque sin explicarse poco ni

45 mucho su presencia en tal estado y a tal hora.

–¿Y esto? –preguntó indicando los libros.

–Como usted me los pidió –dijo Orgaz–. Están en forma.

El inspector miró a Orgaz, consideró un momento su aspecto, y recordando entonces el incidente en la oficina de aquél, se echó a reír muy cordialmente, mientras le palmeaba el

50 hombro:

–¡Pero si yo le dije que me los trajera por decirle algo! ¡Había sido zonzo, amigo! ¡Para qué se tomó todo ese trabajo!

Extracto de **El Techo**, Horacio Quiroga (*Uruguay*) de *Spanish Stories: Cuentos Españoles (A Dual-Language Book)*, editado por Angel Flores (1987, Dover Publications, Inc., New York)
Reproducido con permiso

Contesta a las siguientes preguntas (líneas 1-5)

1. ¿Qué **palabra** significa que el temporal se intensificaba?

. . . .

2. ¿Qué **frase** indica que los dos hombres corrían el peligro de ahogarse?

. . . .

Basándote en el texto (líneas 6-12), indica la opción correcta en la casilla de la derecha.

3. ¿A qué se refiere "a veces pasan estas inexplicables cosas"?

A.	Que no se ahogaron gracias a la canoa.	☐
B.	Que los hombres tuvieron mucha suerte.	
C.	Que era extraño que hubiera tormenta en esa región.	
D.	Que no se puede explicar por qué no se hundió la canoa.	

4. ¿Cómo se siente Orgaz al ver la "livida sombra"?

A.	Miedoso	☐
B.	Resignado	
C.	Aliviado	
D.	Mojado	

¡Ojo! Remember that both the True / False and the Justification must be right to get the mark!

Contesta a las preguntas siguientes (líneas 13 a 23), indicando con [✓] si son verdaderas o falsas en la casilla de la derecha y escribe las palabras que justifican tu respuesta.

	VERDADERO	**FALSO**
5. El compañero de Orgaz es un hombre paciente.	☐	☐

Justificación: . . . .

6. La lluvia caía silenciosamente.	☐	☐

Justificación: . . . .

7. Llevaban un mes viajando.	☐	☐

Justificación: . . . .

8. Lo que más le molestaba era el dolor de cintura.	☐	☐

Justificación: . . . .

Basándote en el texto, contesta las siguientes preguntas.

9. ¿Qué **expresión** indica que pronto empezaría a llover de nuevo? *(líneas 24-26)*

. . . .

10. ¿Qué **frase** hace referencia a las dificultades de hacer el camino a pie?
(líneas 27-30)

. . . .

11. ¿Cuál era el estado de ánimo del protagonista al llegar a Posadas? *(líneas 31-37)*

A.	Se encontraba absolutamente desanimado.
B.	No quería que su aventura terminara.
C.	Quería despertar de aquella pesadilla.
D.	Se sentía orgulloso de sí mismo.

Basándote en las líneas 40 a 50, completa el cuadro siguiente, indicando a quién o a qué se refieren las palabras subrayadas.

En las expresiones...	la palabra...	se refiere a...
Ejemplo: ...que cerraba <u>su</u> valija **(líneas 43 a 44)**	**"su"**	**. . . . Inspector de Justicia . . . .**
12. ...cuando <u>éste</u> logró... (línea 46)	"éste"	. . . .
13. ...usted me <u>los</u> pidió... (línea 47)	"los"	. . . .
14. ...la oficina de <u>aquél</u>... (línea 49)	"aquél"	. . . .

15. *Solamente dos de las siguientes frases son correctas según la información en el texto. Escribe las letras correspondientes en cualquier orden en las casillas.*

A.	Orgaz entró triunfante al hotel del Inspector de Justicia.	*Ejemplo:* C
B.	El Inspector no reconoce en seguida a Orgaz.	
C.	**Los libros llegaron intactos a pesar de la lluvia.**	☐
D.	Seguramente Orgaz recibirá un ascenso en el trabajo.	
E.	El Inspector elogia a Orgaz por cumplir su orden.	☐
F.	Orgaz había interpretado la orden de manera ingenua.	

LA GUARDIA

Recuerdo muy bien la primera vez que le vi. Estaba sentado en medio del patio, el torso desnudo y las palmas apoyadas en el suelo y reía silenciosamente. Al principio, creí que bostezaba o sufría un tic o del mal de San Vito pero, al llevarme la mano a la frente y remusgar la vista, descubrí que tenía los ojos cerrados y reía con embeleso. Era un muchacho robusto, con cara de
5   morsa, de piel curtida y lora y pelo rizado y negro. Sus compañeros le espiaban, arrimados a la sombra del colgadizo y uno con la morra afeitada le interpeló desde la herrería. La metralleta al hombro, me acerqué a ver. Aquella risa callada, parecía una invención de los sentidos. Los de la guardia vigilaban la entrada del patio, apoyados en sus mosquetones; otro centinela guardaba la puerta. El cielo era azul, sin nubes. La solina batía sin piedad a aquella hora y caminé rasando la
10   fresca del muro. El suelo pandeaba a causa del calor y, por entre sus grietas, asomaban diminutas cabezas de lagartija.

    El muchacho se había sentado encima de un hormiguero: las hormigas le subían por el pecho; las costillas, los brazos, la espalda; algunas se aventuraban entre las vedejas del pelo, paseaban por su cara, se metían en sus orejas. Su cuerpo bullía de puntos negros y permanecía silencioso,
15   con los párpados bajos. En la atmósfera pesada y quieta, la cabeza del muchacho se agitaba y vibraba, como un fenómeno de espejismo. Sus labios dibujaban una risa ciega: grandes, carnosos, se entreabrían para emitir una especie de gemido que parecía venirle de muy dentro, como el ronroneo satisfecho de un gato.

    Sin que me diera cuenta, sus compañeros se habían aproximado y miraban también. Eran
20   nueve o diez, vestidos con monos sucios y andrajosos, los pies calzados con alpargatas miserables. Algunos llevaban el pelo cortado al rape y guiñaban los ojos, defendiéndose del reverbero del sol.

    –Tú, mira, si son hormigas.

    –L'hacen cosquiyas.
25   –Tá en el hormiguero. . .

    Hablaban con grandes aspavientos y sonreían, acechando mi reacción. Al fin, en vista de que yo no decía nada, uno que sólo tenía una oreja se sentó al lado del muchacho, desabrochó el mono y expuso su torso esquelético al sol. Las hormigas comenzaban a subirle por las manos y tuvo un retozo de risa. Su compañero abrió los ojos entonces y nuestras miradas se cruzaron.
30   –Mi sargento...

    –Sí –dije.

    –A ver si nos consigue una pelota. Estamos aburríos.

    No le contesté. Uno con acento aragonés exclamó: "Cuidado, que viene el teniente," y aprovechó el movimiento alarmado del de la oreja para guindarle el sitio. Yo les había vuelto la
35   espalda y, poco a poco, los demás se sentaron en torno al hormiguero.

    Era la primera guardia que me tiraba (me había incorporado a la unidad un día antes) y la idea de que iba a permanecer allí seis meses me desmoralizó. Durante media hora, erré por el patio, sin rumbo fijo. Sabía que los presos me espiaban y me sentía incómodo. Huyendo de ellos me fui a dar una vuelta por la plaza de armas. Continuamente me cruzaba con los reclutas. "Es el
40   nuevo," oí decir a uno. El cielo estaba liso como una lámina de papel y el sol parecía incendiarlo todo.

    Luego el cabo batió las palmas y los centinelas se desplegaron, con sus bayonetas. Los presos se levantaron a regañadientes: las hormigas les rebullían por el cuerpo y se las sacudían a manotadas. Pegado a la sombra de la herrería, me enjugué el sudor con el pañuelo. Tenía sed
45   y decidí beber una cerveza en el Hogar.

Extracto de **La Guardia**, Juan Goytisolo (*España*) de *Spanish Stories: Cuentos Españoles (A Dual-Language Book)*, editado por Angel Flores (1987, Dover Publications, Inc., New York)
Reproducido con permiso

Basándote en el texto (líneas 1-11), encuentra las expresiones del texto que significan:

1. extasiado . . . .

2. llamar a alguien . . . .

3. no haber visto nunca semejante cosa . . . .

4. hacía un calor insoportable . . . .

5. ¿A qué se refieren los "puntos negros"? *(línea 14)*

. . . .

6. ¿Qué **comparación** indica que el muchacho encuentra placentera la sensación? *(líneas 15-18)*

. . . .

7. ¿ A quiénes se refiere "sus compañeros"? *(línea 19)*

    A.   A los presos.
    B.   A las centinelas.   ☐
    C.   A los de la guardia.
    D.   A los reclutas.

8. ¿Cómo reaccionan sus compañeros al ver que el muchacho está sentado en el hormiguero? *(líneas 19-35)*

    A.   Piensan que se ha quedado ahí dormido.
    B.   Están extrañados y se asustan.   ☐
    C.   Se burlan de él y le desabrochan el mono.
    D.   Creen que es la única actividad entretenida que tienen.

Basándote en el texto (líneas 36-41), contesta a las siguientes preguntas.

9. ¿Cuál es el estado de ánimo del narrador? Mencione dos cosas.

. . . .

10. ¿Qué hace el narrador para evitar la mirada de los presos?

. . . .

Basándote en el final del texto, indica con una [✓] si la siguiente frase es verdadera (V) o falsa (F). Justifica tu respuesta con elementos del texto.

                                        V   **F**

11. Los presos ya tenían ganas de abandonar el patio.   ☐   ☐

Justificación: . . . .

¿Que dónde la conocí?

Verás: fue en América, en Nueva York. ¿Has ido a Nueva York? Es una ciudad monstruosa, pero muy bella. Bella sin estética, con un género de belleza que pocos hombres pueden comprender.

5 Iba yo bobeando hasta donde se puede bobear en esa nerviosa metrópoli, en que la actividad humana parece un Niágara; iba yo bobeando y divagando por la Octava Avenida. Miraba . . . , ¡oh vulgaridad!, calzado, calzado por todas partes, en casi todos los almacenes; ese calzado sin gracia, pero lleno de fortaleza, que ya conoces, amigo, y con el que los yanquis posan enérgica y decididamente el pie en el camino de la
10 existencia.

Detúveme ante uno de los escaparates innumerables, y un par de botas más feas, más chatas, más desmesuradas y estrafalarias que las vistas hasta entonces, me trajeron a los labios esta exclamación:

–¡Parece mentira! . . .

15 –¿Parece mentira qué? –dirás.

–No sé; yo sólo dije: ¡Parece mentira!

Y entonces, amigo, advertí –escúcheme bien–, advertí que muy cerca, viendo el escaparate contiguo (dedicado a las botas y zapatos de señora), estaba una mujer, alta, morena, pálida, interesantísima, de ojos profundos y cabellera negra. Y esa mujer, al oír
20 mi exclamación, sonrió . . .

Yo, al ver su sonrisa, comprendí, naturalmente, que hablaba español: su tipo, además, lo decía bien a las claras (a las oscuras más bien, por su cabello de ébano y sus ojos tan negros que no parecía sino que llevaban luto por los corazones asesinados, y que los enlutaba todavía más aún el remordimiento).

25 –¿Es usted española, señora? –le pregunté.

No contestó, pero seguía sonriendo.

–Comprendo –añadí– que no tengo derecho para interrogarla . . . , pero ha sonreído usted de una manera . . . Es usted española, ¿verdad?

Y me respondió con la voz más bella del mundo:

30 –Sí, señor.

–¿Andaluza?

Me miró sin contestar, con un poquito de ironía en los ojos profundos.

Aquella mirada parecía decir:

«¡Vaya un preguntón!».

35 Se disponía a seguir su camino. Pero yo no he sido nunca de esos hombres indecisos que dejan irse, quizá para siempre, a una mujer hermosa. (Además: ¿no me empujaba hacia ella mi destino?)

–Perdone usted mi insistencia –le dije–; pero llevo más de un mes en Nueva York, me aburro como una ostra (doctos autores afirman que las ostras se aburren,
40 ¡ellos sabrán por qué!). No he hablado, desde que llegué, una sola vez español. Sería en usted una falta de caridad negarme la ocasión de hablarlo ahora . . . Permítame, pues, que con todos los respetos y consideraciones debidas, y sin que esto envuelva la menor ofensa para usted, la invite a tomar un refresco, un *ice cream soda*, o, si a usted le parece mejor, una taza de té . . .

45 No respondió, y echó a andar lo más deprisa que pudo; pero yo apreté el paso y empecé a esgrimir toda la elocuencia de que era capaz. Al fin, después de unos cien metros de «recorrido» a gran velocidad, noté que alguna frase mía, más afortunada que las otras, lograba abrir brecha en su curiosidad. Insistí, empleando afiladas sutilezas dialécticas y ella aflojó aún el paso . . . Una palabra oportuna la hizo reír . . . La partida
50 estaba ganada . . . Por fin, con una gracia infinita, me dijo:

–No sé qué hacer: si le respondo a usted que no, va a creerme una mujer sin caridad; y si le respondo que sí, ¡va a creerme una mujer liviana!

Le recordé en seguida la redondilla de sor Juana Inés:

> Opinión ninguna gana;
> pues la que más se recata,
> si no os admite, es ingrata,
> y, si os admite, es liviana . . .

–¡Eso es, eso es! –exclamó–. ¡Qué bien dicho!

–Le prometo a usted que yo me limitaré a creer que sólo es usted caritativa, es decir, santa, porque como dice el catecismo del padre Ripalda, el mayor y más santo para Dios es *el que tiene mayor caridad, sea quien fuere* . . .

–En ese caso, acepto una taza de té.

Y buscamos, amigo, un rinconcito en una pastelería elegante.

Extracto de **El diamante de la inquietud**, Amado Nervo (*México*)
de *Spanish-American Short Stories: Cuentos hispanoamericanos (A Dual-Language Book)*,
editado y traducido por Stanley Appelbaum (2005, Dover Publications, Inc., New York)
Reproducido con permiso

Contesta las siguientes preguntas.

1. ¿Qué **expresión** indica que el narrador camina sin destino fijo? *(líneas 1-7)*

. . . .

2. ¿Qué sentimientos contradictorios provocan los zapatos americanos en el narrador? *(líneas 8-10)*

    A.   Admiración e indiferencia

    B.   Indiferencia y determinación

    C.   Rechazo y admiración

    D.   Determinación y rechazo

3. ¿Por qué se detiene el narrador? *(líneas 11-20)*

    A.   Percibe la presencia de una mujer interesante.

    B.   Sus zapatos le duelen.

    C.   Encuentra unos zapatos que le interesa comprar.

    D.   Le llaman la atención unos zapatos inusuales.

4. Indica la **palabra** que convence al narrador de que la mujer hablaba español. *(líneas 21-24)*

. . . .

5. ¿Cómo interpreta el narrador la mirada de la mujer? *(líneas 21-24)*

    A.   Arrepentida

    B.   Coqueta

    C.   Distraída

    D.   Romántica

Las siguientes frases, referidas a las líneas 25 a 37, son verdaderas o falsas. Indica con [✓] la opción correcta y escribe las palabras del texto que justifican tu respuesta. Tanto [✓] como la cita son necesarias para obtener un punto.

                                        VERDADERO **FALSO**

6. A la mujer le interesa mantener el misterio de su procedencia.

Justificación: . . . .

. . . .

7. En cuestiones del amor, el narrador suele ser más cauteloso.

Justificación: . . . .

. . . .

Contesta con palabras tomadas del texto, de las líneas 38 a 50.

8. ¿Con qué **palabra** destaca el carácter resuelto del narrador?

. . . .

9. ¿Qué **comparación** hace para describir el reciente estado de ánimo del narrador?

. . . .

10. ¿Qué **expresión** indica que por fin había despertado el interés de la mujer?

. . . .

11. ¿Con qué **expresión** sabe el narrador que sus esfuerzos habían tenido éxito?

. . . .

12. ¿Cómo logra el narrador convencer a la mujer de aceptar su invitación?
    (líneas 51-65)

    A.   Le dedica un poema de amor.

    B.   Le explica que es lo que Dios habría querido.

    C.   Le asegura que no debe preocuparse por su reputación.

    D.   Le recomienda una pastelería muy elegante.

Los inmigrantes

Y he aquí que ahora es cuando comienzan, verdaderamente, el infortunio y las tribulaciones del pobre Abraham.

Domitila, que hasta allí fuera afectuosa y buena con él, se volvió áspera y desdeñosa: no toleraba sus gustos y costumbres, le causaba todo género de contrariedades, lo irrespetaba y lo deprimía en presencia de los hijos y hasta lo desautorizaba ante el servicio.

Un día estalló abiertamente el conflicto.

Era la víspera de Kipur, cerca de anochecido. Abraham, que era fiel observador de la ley hebraica, había cerrado temprano la tienda, la cual no se abriría durante todo el día siguiente, y estaba en su casa tomando una pequeña colación, antes de entrar en el ayuno y en las oraciones de aquella solemnidad, que celebraban todos los años los miembros de la colonia israelita en Caracas, en la casa de un comerciante marroquí que era el rabino.

Samuelito, envalentonado por lo que tantas veces le oyera decir a su madre acerca de la ceremonia judía, comenzó a hacer burla y escarnio del Kipur y de la religión paterna, y como Abraham le exigiese respeto a su fe, así como él respetaba la de ellos, y viendo que no lo lograba lo amenazó con castigarlo y lo mandó que se retirara de su presencia. Domitila apoyó al muchacho y le dio ánimos para que siguiera molestando e irrespetando al padre. Protestó Abraham, más con resentimiento que con energía y ella respondió cubriéndolo de oprobios.

—¡Bueno está, mujer! ¡Bueno está! —decía el pobre hombre, manso y resignado, tratando de aplacar la cólera de Domitila.

Pero ésta no lo oía y metido en sus habitaciones junto con Samuelito, por allá dentro clamaba y decía que bien merecida tenía su suerte por haberse casado con un judío. ¡Razón tenía Dios para castigarla!

—¡Partida de hipócritas! ¡Quién los viera! ¡Y esperando al Mesías! ¡Seguramente para crucificarlo otra vez!

El dolor detuvo en el corazón de Abraham el movimiento subitáneo de la cólera y la secular resignación de su raza maldita ahogó en su alma hasta el deseo de la protesta. Se paró de la mesa, pálido y vacilante, y se metió en su cuarto sin ánimos para ir a reunirse con los demás hombres de su fe que lo esperaban. Ayunaría y haría las oraciones del Kipur allí en su casa; aquel año, para el día de la purificación espiritual tenía un gran sacrificio que ofrecer a Dios: ¡una injuria grave que perdonar!

Pero desde aquel día llevaría para siempre en el fondo de su pecho una incurable amargura: ¡él en su casa, como su raza en el mundo, no tenía un sitio de amor en los corazones!

Extracto de **Los inmigrantes**, Rómulo Gallegos (*Venezuela*)
de *Spanish-American Short Stories: Cuentos hispanoamericanos (A Dual-Language Book)*,
editado y traducido por Stanley Appelbaum (2005, Dover Publications, Inc., New York)
Reproducido con permiso

Contesta las siguientes preguntas.

1. ¿Qué **frase** indica que Domitila antes no trataba mal a Abraham? *(líneas 1-6)*

. . . .

2. ¿Qué **dos** rituales practica Abraham en Kipur? *(líneas 8-13)*

(a) . . . .

(b) . . . .

Busca en el texto la palabra o palabras que significan: (líneas 14-20)

Ejemplo: atrevido . . . . ***envalentonado*** . . . .

3. menospreciar . . . .

4. incitar . . . .

5. insultar . . . .

6. De las frases A a G, escoge las tres que son verdaderas según el texto *(líneas 21-33)*. Escribe la letra apropiada en las casillas.

A. ***Domitila protege a su hijo Samuelito.***   *Ejemplo:* ☐ A

B. Domitila se culpa a si misma por su situación infeliz.

C. Domitila tiene miedo de Abraham.   ☐

D. El conflicto le ha quitado las ganas de salir a Abraham.   ☐

E. A Abraham le cuesta controlar sus emociones.   ☐

F. Domitila vive un matrimonio forzado.

G. Abraham es un hombre pacífico y sufrido.

7. Basándote en la última frase del texto, indica la opción que mejor resume el estado emocional de Abraham, en la casilla de la derecha.

A. Olvido
B. Soledad   ☐
C. Indecisión
D. Tranquilidad

Chapter 2   Paper 2: Productive skills

The writing paper is **1hr 30mins** (+5mins reading time) and is **worth 25%** of your final mark. SL have the full 1hr 30mins to devote to one question, but HL have a second task to complete within the same amount of time: Section B Reasoned Argument.

SL/HL Section A: Writing in Text Types

In **Section A**, both SL and HL have a choice of 5 questions, each relating to one of the **5 Option Topics**: *Costumbres y tradiciones, Diversidad cultural, Ocio, Salud, Ciencia y tecnología,* and a different **Text Type**. You can answer any question even if you have not studied that Option Topic. You must write between **250-400 words**. This question is worth **25 marks: 10 for Language, 10 for Message** and **5 for Format**. There are **12 Text Types** that you are expected to be able to write (11 at SL).

In this chapter you will find advice on what the examiners are looking for, notes on register, a summary of rubrics and a checklist of Text Types. Then, I have included a model example of each Text Type that could come up in the exam. All the model texts are based on original assignments done by my students in response to real IB (or IB-style) questions. This means that they are the genuine ideas of HL and SL students of Spanish and are not meant to be of native standard (although language errors have generally been corrected). I believe that full written answers give you the clearest idea of what you should be aiming for in terms of structure, style and length.

Each text is accompanied by vocabulary exercises and grammar notes as well as criteria-specific guidance so that you can clearly see why it is a good text. Make sure you have a copy of the assessment criteria and are familiar with it (you can get it from your teacher or IB Coordinator), as much of the guidance is directly related to the values of the criteria. Finally, there is an exam-style question so that you can practise yourself. These are not real past paper questions; you can also get those from your teacher or IB Coordinator.

HL Section B: Reasoned Argument

In response to a stimulus text (a short paragraph, statement or quotation) you must write **150-250 words** developing your own opinion. This task is based on one of the **3 Core Topics**: *Relaciones sociales, Cuestiones globales, Comunicación y medios*, and there is no choice of question. There is no prescribed Text Type for this as long as your answer is **"reasoned"** and **"personal"**. However, I suggest that you follow the advice for an **Argumentative Essay**, and I will show you how to do that in the second part of this chapter.

Assessment criteria for Section A explained

Criteria A   Language (Lengua)   / 10

Language refers to vocabulary and structures. See Chapter 5 for more guidance.

- You want to use a wide variety of **vocabulary** related to the topic of the question. This includes nouns, synonyms, adjectives, verbs and idiomatic expressions.

- **Structures** obviously refers to tenses, but also to other aspects of grammar, including pronouns and adjectival agreements. For high marks, you need to use "complex structures" and this means using subordinate clauses and, ideally, the subjunctive. Variety of structures is important, but be reassured that the examiners are *not* looking for perfect, native Spanish. They mark positively: you get points for *attempting* complex grammatical structures, even if you don't quite get them right, and you can still score highly even if you don't always get your verb conjugations right, so it pays to be ambitious.

- If you don't write the **minimum number of words**, you will be penalised 1 mark.

Criteria B   Message (Mensaje)   / 10

Message refers to ideas and the development of ideas.

- **Ideas** should be relevant and must cover all aspects of the question. Choose your question carefully, ensuring you have enough to say. Creativity and imagination are rewarded, so the possibilities are endless. The model texts should give you a good sense of the range and quality of ideas expected.

- The **development of ideas** must be organised, logical and coherent. Supporting details should be convincing. Use connecting words and cohesive devices (see p159).

Criteria C   Format (Formato)   /5

Format refers to layout and conventions.

- **Format** refers to whether it is *an article, an essay, a diary entry*, etc. Basically, you need to have a good idea about what different Text Types look like: the format and layout of the text on the page *(eg: whether it should have a title, subtitles, spacing, paragraphs, headings, information boxes, opening and closing formulae for letters, dates, punctuation, pictures, etc.)*. The examiners expect to see some attention paid to correct formats, within the constraints of using lined exam paper.

- **Conventions** refer to style, register, rhetorical devices and other cultural expectations of a Text Type. The beginning and ending conventions are crucial in order to show that you've got the right Text Type.

Understanding what the examiners are really looking for

The IB Spanish course is all about communicating in real situations for real purposes because in real life, most things we write are not just for the eyes of our teachers, and so the traditional *redacción* or *ensayo* is just one of many possible text types that could come up. The tasks will encourage you to have a real audience in mind *(eg: friends, a company, the editor of a newspaper)* and to remember what the purpose of writing is *(usually expressed as a verb in the question, eg: recomendar, describir, persuadir)*. So, to be effective, your answer must respect conventions of format and style, and make clear who the author is, while adopting an appropriate register according to who the intended reader or audience is. Try to remember all this visually:

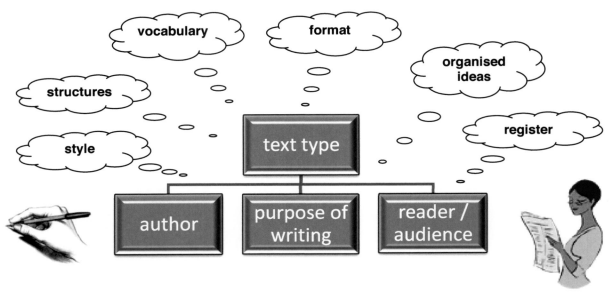

How to choose which question to answer in Section A

During the 5 minutes reading time, read each question carefully and ask yourself these 4 questions in order to work out which is the right question for you. Underline or highlight the relevant parts of the question:

1. **What text type is it?** → *do I know the format and conventions?*
2. **Who is the audience?** → *what register do I need?*
3. **What topic is the text about?** → *do I know enough vocabulary for this topic?*
4. **What is the communicative purpose of the task?** → *what is the main verb in the question that says what I am meant to do?*

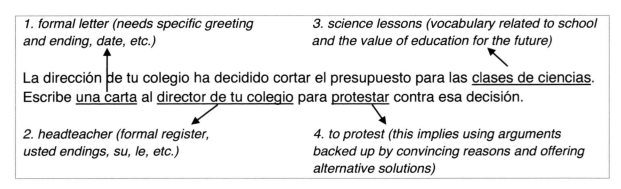

Notes on Register

Register refers to the formality of language selected. Another feature of communicating in the right **register** is choosing the correct part of the verb: **tú, vosotros, usted or ustedes**, and this can also depend on where you are learning Spanish (North, Central and South America follow Latin American conventions, whereas Europe, Africa, Asia and the rest of the world would be safe following peninsular Spanish conventions).

informal	formal	neutral
•colloquial, friendly, jokey •aimed at young people or family •showing awareness of spoken traits of language •usually subjective •Examples include: email to a friend, diary entry, interview with a student	•higher register, denoting a certain level of education •more sophisticated choice of words •can be objective or subjective depending on the purpose of writing •Examples include: essay, letter to the editor, formal letter, interview with an author	•for the general public •objective •no personal opinion •no need for fancy descriptions •not emotional •Examples include: instructions, newspaper article, report

tú
- we can safely say that if it is an email to a friend, you can go for *tú*.
- it might also be appropriate in adverts or leaflets, particularly in the imperative form.
- some Latin American countries don't use *tú* at all.

vosotros
- this might be appropriate in a speech to a group of students, but if there are also adults present, you're better off going for ustedes.
- vosotros is only used in Spain, so if your audience is Latin American, it is irrelevant.
- vosotros conjugations cause students the most problems, so beware of choosing it if you're not totally confident.

usted/ustedes
- In Spain, this is formal, used for formal letters, essays and articles, and to address adults or people you don't know.
- In Latin America, it is much more common, and you can safely use it for adults and young people.

vos
- This form is used in Argentina and some other Latin American countries, and is the equivalent of *tú and vosotros* in Spain. If you are in Europe you don't need to worry about it, but it's worth bearing in mind if you are sitting HL in case the literary text is from Latin America.
- Conjugations are different: *vos querés* instead of *tu quieres* or *vosotros queréis*.

difference with French
- If you learnt French before Spanish, chances are you had it drummed into you that *'vous'* is the formal. In Spanish, the equivalent *vosotros* has nothing to do with formal register. It is informal plural. When you want the formal, it is always *usted* (he form) or *ustedes* (they form).
- Don't make the mistake of mixing them up and saying *ustedes queréis*!! - it should be *ustedes quieren*.

consistency!
- whichever register you go for, the most important thing is to be consistent throughout the text!

Paper 2 Exam rubrics

From May 2013 onwards, the exam rubrics are all in the *"tú"* form. Past papers will all be in the *"usted"* form.

Rubrics referring to who you are as author:

presenciaste	*you witnessed*
tú te has ofrecido voluntario	*you have offered to*
eres un gran admirador de	*you are a great admirer of*
has asistido a	*you have been to / attended (**not** you have assisted in)*
has sido elegido portavoz	*you have been elected spokesperson*
te piden que hagas	*they ask you to*

Rubrics referring to who the reader/audience is:

el texto está dirigido a	*the text is aimed at*
la carta que dirigirás a	*the letter you will write to*
tu mejor amigo	*your best friend*
los jóvenes	*young people*
la clase de español	*your Spanish class*
la clase de ciencias ambientales	*your Natural Sciences class*
el grupo de debates de la escuela	*the school debating group*
los futuros alumnos del BI	*future IB students*
la revista del colegio	*the school magazine*
una revista juvenil	*a magazine for young people*
el director del instituto	*the Headteacher*
un profesor	*a teacher*
el público en general	*the general public*
los boletines informativos de los comercios	*business news bulletins*
un periódico local/nacional	*local / national newspaper*
tú mismo/a / a ti mismo	*yourself / to yourself*

Verbs referring to the communicative purpose of the text:

escribir / redactar	*to write*	**presentar**	*to present*
describir	*to describe*	**recoger información**	*to gather information*
elaborar / diseñar	*to design*	**persuadir**	*to persuade*
narrar / relatar	*to narrate*	**manifestar tu opinión**	*to present your opinion*
comentar los hechos	*to comment on the facts*	**proponer ventajas**	*to propose advantages*
hacer repaso de	*to review / evaluate*	**y desventajas**	*and disadvantages*
enviar	*to send*	**recomendar**	*to recommend*
explicar	*to explain*	**sugerir soluciones**	*to suggest solutions*
explicándole	*explaining to him*	**invitar a participar**	*to invite to participate*
haciendo referencia a	*making reference to*	**comunicar tu**	*to communicate your*
dar a conocer	*to make known*	**entusiasmo**	*enthusiasm*
poner al tanto	*to keep up to date*	**opinar**	*to give your opinion*
señalar	*to point out*	**discutir de una forma**	*to argue in a logical,*
presentar resultados	*to present the results*	**lógica y organizada**	*organised manner*

Checklist of Text Types

Here is the list of **12 Text Types** you must be familiar with for Paper 2 (11 at SL). However, I have included more than 12 model texts because a Blog is really very different to a Diary Entry, and an Email to a Friend is nothing like a Formal Letter of Complaint even though they are both Correspondence. It is quite daunting to be expected to know the conventions for so many Text Types, but by the end of this chapter, you should have a very clear understanding of Text Types and should feel confident about your ability to tackle any question on the paper. Tick them off once you've revised them.

1.	Brochure, leaflet, pamphlet, flyer, advertisement	☐ Folleto informativo ☐ Hoja de publicidad
2.	Set of instructions, guidelines	☐ Conjunto de consejos, instrucciones, directrices
3.	Blog / diary entry	☐ Diario personal ☐ Blog
4.	Correspondence	☐ Carta informal ☐ Carta formal (de reclamación) ☐ Correo electrónico informal ☐ Correo electrónico formal ☐ Carta al director de un periódico
5.	Article	☐ Artículo para la revista del colegio ☐ Artículo de opinión (editorial)
6.	News report / article	☐ Crónica de noticias
7.	Official report	☐ Informe
8.	Proposal * HL only	☐ Propuesta
9.	Review	☐ Crítica de película, obra de teatro o libro
10.	Interview	☐ Entrevista
11.	Speech, talk, presentation, introduction to conference or debate	☐ Discurso de agradecimiento ☐ Discurso persuasivo ☐ Introducción a conferencia o debate
12.	Essay * SL Section A * HL Section B	☐ Ensayo / Redacción equilibrada ☐ Ensayo / Redacción argumentativa

Folleto informativo

¡El sonido del verano del 2009!

El verano es el mejor momento para la música en Londres. Hay una enorme variedad de música disponible y eventos a los que ir. Este folleto te da los detalles esenciales de los festivales y los nuevos artistas y grupos más populares del momento.

Foto de Dizzee Rascal

Los dos tipos de música más interesantes son Pop e Indie/Rock:

POP

Algunos de los artistas más populares son Britney Spears, Enrique Iglesias y Dizzee Rascal. Dizzee es la voz de los jóvenes rebeldes. La música de Enrique es pegadiza y quizás este año escucharemos su mayor éxito. Britney está vuelve a escena con una impresionante gira.
Consigue tu entrada para el O2 en www.theO2.co.uk

indie / rock

El grupo más popular en este momento es, sin duda, Kings of Leon. Sus melodías son muy populares y el cantante tiene una voz increíble. Los veremos en todos los festivales. Sin embargo, el grupo que está generando entusiasmo es Blur, ¡que ha vuelto! Su concierto secreto e íntimo en HMV-Oxford Street fue inolvidable. ¡Espera a escucharlos en directo!

¡Las chicas rockeras!

Los nuevos sonidos del verano. He aquí algunas de las nuevas artistas más emocionantes del momento:

LADYHAWKE

<u>Cita célebre</u>: "quería hacer música que pudiera hacer sonreír a la gente y darles un sentimiento de nostalgia"
<u>Influencias</u>: Stevie Nicks, Deep Purple, Joan Jett
<u>Género</u>: electro / indie / pop

LA ROUX

<u>Se destaca por</u>: su voz (tono alto)
<u>Influencias</u>: Michael Jackson, Yazoo, The Cure
<u>Género</u>: Pop

Florence + la máquina

<u>Género</u>: acústico
<u>Influencias</u>: Tom Waits, Nick Cave, Björk
<u>Cita célebre</u>: "quiero que mi música suene como si te tiraras de un árbol o de un edificio alto y no pudieras respirar" *(¡qué extraño!)*

¡Música 2009!

El Festival de Glastonbury

Glastonbury 2009 va a ser el festival más electrizante del año. Es el equivalente de Benicassim en España. Música de todo tipo suena allí durante todo un fin de semana. Las entradas son caras, pero es el punto culminante del año para cualquier amante de la música. Si quieres ir, tienes que llevar tres cosas:

- Tus botas de agua
- Tu tienda de campaña   *¡¡No te lo pierdas!!*
- Tu cámara

BBC Proms

Los Proms de la BBC son el evento clásico más famoso de Londres. Las actuaciones más memorables van a ser la Real Orquesta Sinfónica y la Orquesta Ukulele de Gran Bretaña. Las entradas ya están disponibles en www.bbc.co.uk/proms

---

¡¡Qué lo pases bien en Londres este verano!!

403 palabras

Basado en un texto original de Gabby

How to score highly with a leaflet / brochure

Criteria A Language (Lengua)	**/ 10**

Vocabulary: find these words related to MUSIC:

events _____
festivals _____
artists _____
bands _____
singer _____
greatest hit _____

enthusiasm _____
melodies _____
performances _____
orchestra _____
tickets _____

catchy _____
electrifying _____
culminating _____
unforgettable _____
famous _____
to sound like _____

You have to think carefully about how to include a range of grammatical structures in a text characterised by short sentences. The most complex sentences here are actually the quotations. Imperatives are common in leaflets and these can be tricky, but just a few make a difference.

Structures: IMPERATIVES – look for the imperatives in the *tú* form:

get _____

don't miss out! _____

wait _____

have a great time! _____

Criteria B Message (Mensaje)	**/ 10**

Range of relevant ideas:
* 2 types of music with examples
* 3 new female singers
* details of 2 festivals
* made up quotations

Organisation:
* **Leaflets need to be clearly organised**
* **Introduction** (to the festival)
* **Paragraphs** (text boxes)
* **Conclusion** (Have a great time!)

Criteria C Format (Formato)	**/5**

> **Format:**
> A leaflet should have a clear **TITLE**, and be divided into sections with <u>SUBTITLES</u>. Do use capital letters, bold and underlining, for emphasis. You can even divide the exam paper into two columns and draw a box around a section of text or to indicate where a picture would go. Don't forget contact details, like <u>websites</u> and phone numbers.

Conventions:
✓ The register is informal, aimed at teenagers.
✓ There is some humour.
✓ It is eye catching with lots of exclamations (¡ !).
✓ Sentences are short so it is easy to read.

<u>Ready to have a go? Try this Paper 2 style question:</u>

Se van a celebrar los próximos Juegos Olímpicos en su ciudad y a ti te han pedido diseñar un folleto informativo para los jóvenes hispanohablantes que van a venir para que saquen el máximo provecho de las nuevas instalaciones deportivas y los servicios ofrecidos.

Hoja de publicidad

¡Aprenda a usar Internet gratis!

Para nuestro programa **C**reatividad **A**cción **S**ervicio ofrecemos
clases gratuitas de informática.

¿Quién dará las clases de la Red?

Hola, somos **Nicole, Nick y Laura**. Somos estudiantes del Colegio San Vicente y seremos sus profesores. Ya que leemos mucho por Internet y escribimos bastantes ensayos por ordenador, quisiéramos apoyar a los que viven cerca del colegio a sacar provecho de las nuevas tecnologías.

¿Quién podrá asistir a los cursos?

¡Nuestro curso es para todos! <u>Recomendamos que</u> los niños (1).................. a nuestros cursos para aprender juegos eduativos. <u>Es esencial que</u> los jóvenes (2)................... a usar Internet <u>antes de que</u> (3)................. del colegio para buscar trabajo o ir a la universidad. En el mercado laboral, ¡<u>parece que los empleados que</u> (4)................... manejar Internet valen más que los que no puedan usarlo! Por eso <u>sugerimos que</u> los mayores también (5)..................... con sus hijos.

¿Cuánto costarán los cursos?
¡Nuestras clases son gratuitas!

Algunas ventajas de Internet:

- Muchos recursos y fuentes de información
- Acceso fácil y rápido a las noticias
- Comunicación instantánea por correo electrónico y redes sociales
- Puede seguir las transacciones de su tarjeta de crédito sin ir al banco
- ¡Es imprescindible en nuestra sociedad!

Para los niños y los jóvenes

 ¡Vente a nuestros cursos! Nos divertiremos mucho y si asistes, tendrás más éxito en el futuro. En lugar de ir de compras, vente a pasar tiempo con Nicole, Nick y Laura. <u>Deseamos que</u> (6)......................... conocimientos y destrezas para usar ordenadores.

Para los adultos

El saber no ocupa lugar. <u>Cuando</u> (7)....................... buscando trabajo, el poder usar Internet será útil. Habrá una diferencia apreciable entre los ingresos mensuales de <u>los que</u> (8)......................... usarlo y los que no, como ilustra este gráfico:

¿Desee más información acerca de los cursos, Internet o los profesores?
Llame al Colegio San Vicente al (956) 967-1000
o visite nuestra página web en <u>www.InternetParaTodos.com</u>

Las clases comenzarán el 12 de octubre a las 19:30 en la Sala 2.
¡¡NO SE LO PIERDA!!

Colegio San Vicente – una escuela BI

332 palabras   **Basado en un texto original de Nicole**

How to score highly with an advertisement

Criteria A   Language (Lengua)   / 10

Vocabulary: find these words related to TECHNOLOGY:

Internet _____   sources _____

the Net _____   email _____

computer _____   social networking sites _____

labour market _____   knowledge _____

resources _____   skills _____

website _____

Structures: PRESENT SUBJUNCTIVE:

The subjunctive is used after structures of recommendation (*recomendamos que, sugerimos que*), judgment (*es esencial que*), probability (*parece que*), and hope (*deseamos que*). Fill in the gaps with the present subjunctive. Most of them are irregular, just to make it more challenging!

1. asistir (ellos)
2. empezar (ellos)
3. salir (ellos)
4. saber (ellos)

5. venir (ellos)
6. adquirir (tú)
7. estar (usted)
8. poder (ellos)

Criteria B   Message (Mensaje)   / 10

Range of relevant ideas:

Adverts are usually short on words and big on images, so to write over 250 words is not at all easy. If you break it up into sections and boxes, and aim to appeal to different groups of people, this enables you to incorporate a range of ideas and registers.

- Playing games will appeal to children
- Job prospects are more relevant to young people and adults
- Other details include information about when, what time and where the classes will take place, a phone number and website
- Who the teachers are and who the course is for
- Benefits of attending the classes
- It also promotes the ethos of the IB (which the examiners love!)

Organisation:

- Clear title & introduction
- Each section deals with a different aspect of the course
- The contact details are the equivalent of a conclusion

Criteria C   Format (Formato)   /5

Format: A title, subtitles and sections, pictures, where to find more information, are all essential features of a leaflet advertising a service. You don't need to draw pictures, but you can use capital letters for headings and draw a quick box and put a note inside saying "foto de niño", for example. The examiner will get the idea!

Conventions:

✓ The register is appellative: this means talking directly to the reader, to engage their attention.
✓ It is quite informal, as it is written by students, for young people.
✓ Some bits are more serious as they hope to attract adults too.
✓ Sentences are short and punchy, with lots of exclamations.
✓ The message is made vivid by exclamations/statements like *¡no se lo pierda!* Don't miss out!
✓ The graphic is meaningless in terms of data, but demonstrates to the examiner attention to the layout of a real advert, as a graph showing the proven benefits of a product is a persuasive device.

Ready to have a go? Try this Paper 2 style question:

Para tu proyecto CAS, tú y un grupo de amigos habéis organizado un nuevo club en tu colegio para promocionar las ciencias entre los alumnos menores. Escribe el folleto informativo que se va a distribuir en las clases con todos los detalles del club.

Conjunto de instrucciones / diretrices

¡Ven al colegio con estilo!

Solamente el 6% de los estudiantes va al colegio en bici y si eres uno pues enhorabuena. Pero queremos que todos los alumnos tengan la confianza suficiente para venir al colegio en bici y esperamos que este folleto os dé toda la información que necesitáis.

Antes de coger la bici:

- (1)....................... la presión de los neumáticos - ¡lo último que quieres es un neumático pinchado!
- (2). .... de comprobar las otras partes de la bicicleta también, por ejemplo ¡(3)....................... el asiento si has crecido recientemente!
- (4)........................... un camino seguro y (5)........................ los carriles bici.
- Si quieres ir en bici por la noche ¡es imprescindible que lleves luces y ropa fluorescente!.

Los ciclistas van a la moda:

- Hoy en día hay muchas variedades de cascos, guantes y chaquetas reflectantes - ¡irás a la última!
- Aunque mucha gente piensa que el casco no es necesario para una distancia corta, hay pruebas de que el 40% de heridas en cabeza se produjeron porque la persona no llevaba casco, ¡(6)............... ignorante!
- (7).................... una chaqueta de seguridad siempre que vayas en bici. Algunos jóvenes dicen que la chaqueta te hace parecer un payaso, pero (8)....................... **¡más vale prevenir que curar!**

Cuando vayas por la ciudad:

> Hay un camión a la izquierda ¡oh! y una camioneta de helados ¡ay! es muy peligroso ¡debo centrarme en la carretera!

- (9)............. estar siempre alerta y piensa.
- Cuando tuerzas, (10)...... señas y (11)......... que el coche de atrás te vea.
- (12).................. en fila cuando vayas con amigos, (13)................. no obstruir la carretera - ¡los conductores lo apreciarán!
- Además, (14) .... el código de la circulación - no es sólo para los vehículos.

> (15).........
> tu propio
> casco ¡será
> único!

> (16)............... a un curso de ciclismo. ¡ES GRATUITO! Pregunta en tu colegio

Y ¡(17).....................! el MEJOR CICLISTA es el MENOS EGOÍSTA (en la calle)

LLAMANDO A TODOS LOS JÓVENES CON BICI: (18)..........................
EN UNA CARRERA EXTRAORDINARIA PARA RECAUDAR FONDOS
PARA EL HOSPITAL DE GREAT ORMOND STREET.

262 palabras   **Basado en un texto original de Cheryl**

How to score highly with a set of instructions / guidelines

Criteria A   Language (Lengua)   / 10

Vocabulary: find these words related to TRANSPORT:

bike _____   cycle paths _____   gloves _____
seat _____   lights _____   vehicles _____
tires _____   hi-viz jacket_____   traffic _____
way _____   helmet _____   drivers _____

Structures: IMPERATIVES

As this is a leaflet with recommendations/advice, there are lots of imperatives. Fill in the blanks with the *tú* form, and pay attention to positive / negative, pronouns and accents:

1. *check* (comprobar)
2. *don't forget* (olvidarse)
3. *adjust* (ajustar)
4. *plan* (planear)
5. *use* (usar)
6. *don't be* (ser)
7. *wear* (llevar)
8. *ignore them* (ignorarlos)
9. *try* (procurar)
10. *make* (hacer)
11. *be careful* (tener cuidado)
12. *stay* (quedarse)
13. *try* (intentar)
14. *follow* (seguir)
15. *design* (diseñar)
16. *sign up* (apuntarse)
17. *remember* (recordar)
18. *participate* (participar)

In addition to imperatives, use a variety of structures to give advice:

- deber + infinitivo
- hay que + infinitivo
- si…
- es importante / imprescindible que + subjuntivo
- esperamos que + subjuntivo
- querer que + subjuntivo

Criteria B   Message (Mensaje)   / 10

Range of relevant ideas:
- tips on safety and fashion
- free courses at school
- ideas to appeal to younger students
- statistics

Organisation:
• **introduction**
• **each list or bubble deals with a separate idea**
• **conclusion** (slogan & advert for charity race)

Criteria C   Format (Formato)   /5

Format:
A set of instructions / guidelines follows much the same formatting principles as a leaflet or advert. Title, subtitles and sections, pictures, and where to find more information.

Conventions:
✓ The register is informal and appellative (meaning talking directly to the reader).
✓ There is humour.
✓ The bullet points are varied rather than one long list.
✓ The author understands the audience: some young people don't wear protective clothing. because it's embarrassing, so the leaflet promotes the idea that safe can be fashionable too.
✓ Include a slogan.
✓ Facts & proof (%) – it's ok to make up your statistics!

Ready to have a go? Try this Paper 2 style question:

Participaste en un viaje de solidaridad de tres semanas a un país extranjero con un grupo de estudiantes y profesores. El viaje se dividió entre trekking, trabajo voluntario y turismo. A ti te han encargado el diseño de un folleto informativo para promocionar el próximo viaje y dar consejos a los participantes.

Diario personal

30 de diciembre del 2011   23:35

Querido diario,

Son las once y media y no tengo ganas de dormir.

Estaba a punto de apagar la radio para acostarme cuando empezó una canción: *Smooth*, de Carlos Santana. Ya sabes cuánto me gusta esta canción porque lo escribí en tus páginas el verano pasado ;-) Me recuerda muchas cosas y me pone de buen humor. Me recuerda todos los momentos especiales (¡y relajantes!) que pasamos mientras estuvimos de vacaciones en México. Como siempre la escuchábamos en el coche, ahora puedo ver el paisaje como si estuviera allí...

Escucharla me pone feliz y triste al mismo tiempo. Me hace echar de menos a todos los amigos que conocí allí, la comida, el color de las flores... pero a pesar de eso, me siento más contenta que antes.

Esta canción es tan especial porque me hace pensar en lo afortunada que soy. *Smooth* significa algo como 'suave'...me hace pensar que la vida puede ser tranquila, que no siempre es necesario correr y hacer todo con prisas. También es importante parar y pensar en cómo sacar lo máximo de la vida y aprovechar los momentos.

Me recuerda un momento en particular. Estaba sola, sentada en la terraza del apartamento, disfrutando de la vista y reflexionando sobre la vida (era la última noche antes de volver a Inglaterra). ¿Conoces esos momentos en que miles de preguntas empiezan a llegarte de todos lados? ¿Los momentos cuando ya no puedes hacer frente a la vida? ¿Cuando estás tan confusa que nada tiene sentido? Bueno, me acuerdo de que en ese momento cuando tenía todos estos pensamientos, podía oír la canción que venía del pequeño bar de la playa, y entonces recuerdo que me di cuenta de que era importante dejar de pensar en tonterías y aprovechar lo máximo de la vida.

Y fue cuando cogí mi bolso y salí del apartamento, sin hacer ningún ruido, y bajé al bar y...todo parece un sueño ya...se me acercó Pedro, el chico que había estado observando toda la semana...me preguntó si quería bailar con él...le dije que el día siguiente iba a volver a mi país pero dijo "sólo importa ahora"...y bailamos...

Mis padres estaban furiosos cuando regresé... ¡a las tres de la mañana! Seguro que nunca volveré a ver a Pedro, pero esta canción me recuerda que a veces es divertido arriesgarse porque ésos son los momentos que recordaré para siempre.

Bueno, ya tengo sueño,
Chiara

406 palabras   **Basado en un texto original de Chiara**

How to score highly with a diary entry

Criteria A Language (Lengua)	/ 10

Vocabulary: find these words related to NOSTALGIA, REMEMBERING & MOODS:

you know how much I like	_____
I remember	a)_____ b)_____
it reminds me	_____
it puts me in a good mood	_____
it makes me think about	_____
it makes me miss	_____
I feel	_____
it all feels like a dream already	_____
to stop thinking about nonsense	_____
to make the most of	a)_____ b)_____
I'm sure that	_____

Structures: this diary has a range of structures related to the imperfect tense:

Imperfect	<u>iba</u> a acostarme la <u>escuchábamos</u> <u>estaba</u> a punto de apagar la radio cuando	= *I was going to go to bed* = *we used to listen to it* = *I was just about to turn off the radio when*
Pluperfect continuous	el chico que <u>había</u> estado observando toda la semana	= *the boy I had been watching all week*
Imperfect subjunctive	como si <u>estuviera</u> allí	= *as if I were there*

Criteria B Message (Mensaje)	/ 10

Range of relevant ideas:
Holidays, family, friends, a moment alone, a romantic interest, the landscape, reflections on life, getting into trouble.

Organisation:
A clear beginning, middle and end. The thread of the song runs throughout the text, in every paragraph, which shows development of ideas and not going off on tangents, which is easy to do in a diary entry.

Criteria C Format (Formato)	/5

Format: A diary must have the date, and possibly the time, ***Querido diario***, and a sign off. A typical time to write in a diary is at night when you can't sleep, so something like: ***no tengo ganas de dormir*** at the beginning and ***ya tengo sueño*** at the end, will work well.

Conventions:
- ✓ The register is informal and intimate.
- ✓ It's ok to put the odd smiley or doodle to make it more convincing.
- ✓ It's also fine to include the odd slang word you might know but don't overdo it, and avoid swear words, the examiners don't like it.
- ✓ Feel free to talk <u>to</u> the diary, as if it were a close friend, the only one who really understands you, eg: <u>*ya sabes*</u> as you already know   <u>*tus páginas*</u> your pages
- ✓ Remember, as you are the writer <u>and</u> the reader of a personal diary, there are things you don't need to say about yourself and your life, because, obviously, you already know them.
- ✓ You can leave some sentences unfinished, as the idea is that you write whatever comes into your head, which may not necessarily be perfect whole sentences.
- ✓ Rhetorical questions are good for showing a reflective, philosophical state of mind:
  <u>*¿Conoces esos momentos en que...?*</u> You know those moments when...

Ready to have a go? Try this Paper 2 style question:

Has tenido una fuerte discusión con tus padres sobre lo que quieres hacer cuando termines el instituto. Decides desahogarte en tu diario íntimo.

Blog

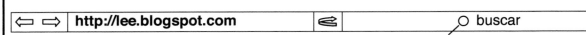

| ← ⇒ | http://lee.blogspot.com | ✎ | | ○ buscar |

¿Qué ha pasado con los cuentos de toda la vida?

jueves 2 de diciembre 2011 19:35

Autor: madrepreocupada

El traje nuevo del emperador, El patito feo, La bella durmiente, entre otros... todos cuentos clásicos para los niños. Durante años se han conocido como los libros más interesantes, audaces y divertidos. Los libros son magníficos para fomentar vínculos entre niños y padres y aumentan la imaginación de los peques.

Acabo de leer que ahora solamente el treinta por ciento de los padres lee con sus hijos. ¿Qué ha pasado? Bueno, pues es que los padres tienen que trabajar hasta cada vez más tarde para mantener a sus familias. Ya no tienen tiempo y dejan a un lado tanto a sus hijos como a los libros. ¡Qué lástima!

¿Cómo podemos mejorar esta situación? Si no cambiamos algo, el efecto en el índice de alfabetización de la juventud será enorme. ¿Es lo que queremos? ¡Todos los niños merecen disfrutar de los libros clásicos que nosotros disfrutamos en nuestra juventud!

Tengo una amiga profesora que dice que puede diferenciar facilmente entre los niños que leen y los que no. Los que sí leen emplean frases más complejas y demuestran más creatividad que los demás.

Personalmente, yo siempre hago un hueco para leer con mis hijos, y debido a esto les gusta leer simplemente porque disfrutan muchísimo leyendo y sobre todo conmigo. Si todos los padres leyeran con sus niños, veríamos un aumento en la cifra de jóvenes adultos inteligentes uniéndose al mundo adulto. ¿Qué opinas tú? ¡Añade un comentario!

Etiquetas: los hijos   libros clásicos   alfabetización   lectura

Compartir este artículo: **B** **g +1**   **rss**

Subscríbete a: lee

\-

Comentarios: 1   niñosolo dice:

Ojalá mis padres leyeran conmigo. Me encanta leer pero nunca tienen tiempo :-(

¡lee! es un blog sobre libros, la lectura, las novelas y los autores. El propósito de este blog es fomentar la lectura. Espero que te diviertan los artículos.

archivo:
> nov 2011
> oct 2011
> sept 2011

Publicidad:

El seguro de coche con MAPFRE Consigue hasta un 40% de descuento al contratar tu seguro de coche con MAPFRE

347 palabras   **Basado en un texto original de Sophie**

How to score highly with a blog

Criteria A   Language (Lengua)   / 10

Vocabulary: find these words related to BLOGS:

search_____   labels_____

author_____   share_____

purpose_____   subscribe _____

to encourage_____   comments_____

archive _____   publicity_____

Structures: _'si'_ clauses: highlight one example of each structure:

- _si_ + present + future
- _si_ + imperfect subjunctive + conditional

Criteria B   Message (Mensaje)   / 10

Range of relevant ideas:
This blog is about how parents don't read classic fairy tales to their children any more; she includes a few titles in Spanish, a (made-up) statistic and explanation for the situation, consequences for the future, "expert" knowledge about the benefits of reading for children, personal experience and opinions.

Organisation:
There is no need for formal introductions and conclusions in a blog, as you get stuck straight into your opinion. But you are likely to start by saying what has prompted you to write eg something you have seen or read. Not all blogs use paragraphs but for the purposes of the exam, do use them.

Criteria C   Format (Formato)   /5

Format: A blog post must have a **title** as well as the **date, time** and **author**. Set it out on the page like a real **webpage**, with address bar and other features, eg links to **share, like, subscribe** and an **archive**. As blog is a public, interactive space, do **invite comments** at the end.

Conventions:
✓ The register is informal.
✓ A blog is a space to write about your personal opinion, so the style is very subjective: use lots of opinions as well as examples from your life, your friends and your personal circumstances.
✓ Include rhetorical questions to grab the reader's attention and to encourage feedback and comments.
✓ Do include a brief introduction to your blog – what is it all about? Exclamations and emoticons (don't go overboard) are all good.
✓ Comments could agree or disagree with your main post.

Ready to have a go? Try this Paper 2 style question:

El fin de semana pasado asististe a una fiesta en tu ciudad para celebrar la diversidad cultural. Escribe en tu blog en qué consistió la fiesta describiendo por lo menos 3 aspectos diferentes (_por ejemplo la comida, las actuaciones, los desfiles, las artesanías, etc_) y reflexionando sobre la importancia de celebrar la diversidad cultural hoy en día.

Carta informal

Lima, 16 de septiembre de 2011

Querida Isabel:

¡Gracias por tu carta que recibí ayer! No puedo creer que hayan pasado ya cinco semanas desde que te vi. ¡Ojalá estuvieras aquí! Bueno, te cuento cómo me va mi trabajo voluntario en Lima.

Todo es muy diferente de lo que esperaba. Antes de venir aquí, tenía un poco de miedo porque Perú está muy lejos de Londres, y no sabía cómo serían los peruanos. Sobre todo no quería llamar la atención, ya sabes que soy alta y pelirroja mientras que aquí, todos son chaparritos y morenos. También estaba nerviosa ¿qué haría si tuviera problemas y no tuviera señal en mi teléfono?

Tuve suerte porque en el avión conocí a una señora que se llama Enriqueta y cuando llegamos al aeropuerto me ayudó a encontrar al hombre de mi organización, Soluciones Inter-Culturales, y nos fuimos directamente a la casa de SIC. Tenía miedo de conocer a los demás voluntarios, ya que yo iba a ser la más joven. Pero estaba equivocada, todos son muy amables y ¡me llaman su hermana pequeña!

Bueno, antes de venir, me costaba imaginar cómo sería porque nunca había visitado un país en vías de desarrollo, así que no tenía ni idea de cómo sería el trabajo. Nunca había imaginado que la pobreza en los 'Pueblos Jóvenes' – que son los barrios situados en las afueras de Lima – fuera tan terrible. Las calles están muy sucias y la mayoría de los edificios están inacabados o dañados. Las casitas están hechas de pedazos de metal y hay perros abandonados en todas las calles... Me dio mucha pena pero luego aprendí que, aunque parezca raro, ¡la gente es feliz! Tienen menos pero son más felices de mucha genete que conozco en Londres.

Estoy trabajando en un colegio en un barrio pobre y cada mañana los niños de mi clase me reciben con grandes sonrisas, me llaman "¡¡¡Camila!!!", me abrazan y ¡no me sueltan! Las señoras de la cocina hablan con nosotros, nos cuentan historias y chistes; son muy graciosas. Enseño inglés, bueno, la mayor parte del tiempo cantamos y jugamos.

Sabes, Isabel, estar aquí ha cambiado totalmente mi opinión de Perú, y también de mi vida. Me he dado cuenta de que tengo mucha suerte – tenemos mucha suerte – y de que no debería quejarme de las cosas pequeñas cuando estos niños son tan felices y no tienen nada.

Oye, te llamaré cuando vuelva y vamos a tomar un café ¿vale? Saludos a todos y escríbeme pronto.

Un abrazo,

Camila xx

420 palabras   **Basado en un texto original de Camila**

How to score highly with an informal letter

Criteria A	Language (Lengua)	/ 10

Vocabulary: find these words related to SOLIDARITY:

voluntary work _____	I teach _____
volunteers _____	I found it hard to imagine _____
developing country _____	I didn't have a clue _____
outskirts _____	I was wrong _____
organization _____	I have realised _____
poverty _____	I am so lucky_____
buildings_____	I shouldn't complain_____

Structures: Imperfect tense: highlight in the 2nd paragraph these examples of the imperfect for thoughts and feelings in the past:

    I was expecting   I was a bit afraid   I didn't know   I didn't want   I was nervous

Preterite tense: highlight in the 3rd paragraph these examples of the preterite for actions in the past:

    I was lucky   I met   we arrived   she helped me   we went

Criteria B	Message (Mensaje)	/ 10

Range of relevant ideas:
Depending on the question, ideas are limitless! Just be careful to cover every aspect of the question.

Organisation:
It's quite easy to write an informal letter without planning, so make sure you still use paragraphs and linking words or your text can become repetitive and rambling – a sure way to lose marks.

Criteria C	Format (Formato)	/5

> **Format:** an informal letter must have the **date**, a **greeting** (Hola / Querido/a...), an appropriate **signing off** (escríbeme pronto, un abrazo) and your **name**.

Conventions:
✓ The register is informal, so use exclamations.
✓ The style is appelative – which means you talk directly to the reader (*eg ojalá estuvieras aquí = wish you were here*).
✓ The content is personal and subjective, so include anecdotes, thoughts and feelings.

> The informal letter, along with the diary entry, is one of the most popular types of text, probably because it is considered easier. That's true, but remember that if the examiner has hundreds of letters to read, it can get quite boring, so make sure that your letter stands out. As letters are such popular texts, I've included two extra examples on the next pages to show you how you can adapt the register depending on who you are writing to.

Ready to have a go? Try this Paper 2 style question:

Estás intentando convencer a tu abuelo de que se compre un ordenador. Escríbele una carta explicándole los beneficios que un ordenador le podría aportar en diferentes aspectos de su vida.

Carta informal a los padres

Paper 2 style question

Usted es buen estudiante, es responsable y saca buenas notas, pero se siente ignorado en casa. Decide escribir una carta a sus padres llamando su atención y explicando su punto de vista para mejorar las relaciones en casa.

Barcelona, 3 de mayo de 2011

Queridos padres:

Supongo que os habréis dado cuenta de que durante los últimos meses ha habido un poco más de tensión en casa. Por eso os escribo esta carta <u>para que **podáis**</u> entender por qué creo que estamos tan distantes.

En primer lugar, desde que Felipe se marchó de casa me he sentido muy sola. Nada es igual desde que se fue, pero <u>no esperaba que</u> **fuera** tan difícil vivir sin él. <u>No quiero que **penséis**</u> que soy egoísta, pero <u>me gustaría que **pasarais**</u> más tiempo conmigo en vez de mandar correos-electrónicos y trabajar todo el tiempo. ¡Ojalá **pudiera** hablaros de mis penas! Pero <u>me da miedo que **penséis**</u> que soy inmadura y <u>que os canséis</u> de escucharme.

A veces <u>me molesta que no me **entendáis**</u> y que os importen más vuestros trabajos que yo. Cada vez que intento acercarme a vosotros me siento ignorada, y esto me enoja y me deprime.

Debido a que suelo comportarme bien y saco buenas notas en el instituto, pensáis que habéis cumplido vuestro deber en relación a criarme, ¡pero no es verdad! <u>Dudo que os **hayáis dado cuenta**</u> de que ya estoy creciendo y me preocupo mucho por mi vida social y mi aspecto personal. A veces me parece que sólo os preocuparíais <u>si</u> **estuviera** embarazada o **fuera** drogadicta. Estoy harta de que mi propia casa me parezca más un hotel que un nido paterno.

Os agradezco todo lo que me habéis dado y por criarme hasta ahora, pero no basta. Ahora <u>necesito que **seáis**</u> mis amigos. Por lo tanto, para disminuir esta brecha entre nosotros, esta distancia, sólo os <u>pido que me **deis**</u> media hora de vuestro tiempo cada día para charlar y escucharme. Tenemos que cambiar nuestras rutinas diarias si queremos mejorar nuestra relación. Estoy segura de que valdrá la pena.

Necesito vuestro amor y apoyo, <u>aunque no lo **parezca**</u>.

Con todo mi amor y respeto,

Lilli

322 palabras   **Basado en un texto original de Lilli**

USING THE SUBJUNCTIVE

verbs of influence

querer que +

gustar +

molestar que +

necesitar que +

pedir que +

estar harto de que+

verbs of doubt, hope and fear

dudar que +

esperar que +

da miedo que +

ojalá +

conjunctions

para que +

aunque +

si +

Carta informal de una abuela a su nieta

Paper 2 style question:

Usted tiene 75 años y ha recibido una carta de su nieto o nieta en que se queja de su trabajo y su vida amorosa. Escríbale una respuesta explicándole cómo han cambiado las cosas desde que usted era joven y dándole consejos.

Madrid, 3 de enero de 2012

Querida Ana:

Gracias por tu carta, como hacía tanto que no me escribías <u>pensaba que me habías olvidado</u>.

¿Qué pasa con tu trabajo? ¿Por qué te quejas tanto? <u>¿No aprecias</u> el hecho que tienes una buena educación, cariño? **No olvides** que cuando yo tenía tu edad, ni siquiera tenía el derecho a una educación secundaria. **Escúchame** – <u>es cuestión de</u> manejar bien el tiempo, <u>lo que deberías hacer es</u> ser más organizada. ¿Sabes que dos de cada tres niños que carecen de acceso a una educación son niñas? ¡Y te quejas de tu trabajo! Pienso que no te das cuenta de lo afortunada que eres. <u>Cariño</u>, si estudias, puedes hacer lo que quieras. Recientemente las mujeres han logrado muchas oportunidades, pero en mi época, yo no tenía lo que tú tienes ahora. Hay millones de cosas que puedes hacer que yo no tenía ninguna posibilidad de hacer.

Me dijiste que tienes problemas con tu novio, o mejor dicho, tus novios, <u>¡je, je!</u> **Perdóname**, no debería bromear. Seguro que hay miles de chicos que quisieran salir contigo. **No te preocupes**, ¡no hay prisa! Todavía eres joven y <u>hace falta que disfrutes</u> y que conozcas a mucha gente, (pero no significa hacer algo que yo no habría hecho...) Claro, nunca he estado en tu posición. Ya no es como en mi época cuando te casabas con el primero que te lo pedía. **Fíjate**, <u>tu abuelo</u> fue mi primer novio y pasamos 55 años juntos hasta que murió. Y ahora, <u>¿qué quieres que haga?</u> Ya soy vieja como para salir a buscar otro novio... Pero tú tienes muchas opciones para encontrar una persona buena con quien compartir tu vida, y si no dura para siempre, pues no es el fin del mundo.

Bueno, Ana, espero que veas que tus problemas no son tan horribles como te parecen. Si todavía no sabes qué hacer, **llámame** por teléfono. ¡Ya sabes que tu padre me regaló uno de esos teléfonos móviles! Y **ven** a visitarme cuando puedas.

Un abrazo muy fuerte de,   *tu abuela Rosita*

---

343 palabras

Basado en un texto original de Dima

Appellative devices

Talking to the reader eg:
pensaba que me habías olvidado
= *I thought you had forgotten about me*

An affectionate name for the reader eg:
cariño = *darling, sweetheart*

Rhetorical questions eg:
¿qué quieres que haga?
= *What do you want me to do?*

Referring to people you both know e.g:
tu abuelo = *your grandfather*

Making little jokes between you and the reader eg:
¡je, je! = *ha ha!*

Giving advice

Imperatives:

no olvides	*don't forget*
escúchame	*listen to me*
perdóname	*forgive me*
no te preocupes	*don't worry*
fíjate	*look, guess what*
llámame	*call me*
ven	*come*

Other expressions:

¿No aprecias...	*Don't you appreciate...?*
es cuestión de...	*It's a question of...*
lo que deberías hacer es	*What you should do is*
hace falta que + subj	*You need to...*

Carta formal (de reclamación)

Viajes al Sol
Calle Santa María, 6
Madrid
España

Londres, 2 de septiembre de 2011

Estimados Señores:

Me gustaría presentarles una reclamación con respecto a una excursión a Valencia organizada por su compañía. Tal excursión tuvo lugar del 12 al 14 de agosto del presente año. En principio, íbamos a viajar en autocar desde Madrid saliendo a las 10 de la mañana y debíamos pasar 2 días relajándonos en la costa.

Cuando llamé tres días antes de la salida para indicarles que viajaría con un bebé de seis meses, su representante me aseguró que no habría problema y que no tenía que preocuparme por nada. Muy amablemente, me aseguró que podría sentarme en un asiento delantero en el autocar y que me asignarían una habitación cómoda en el hotel. Pero, a pesar de que me habían garantizado un trato especial, la excursión fue un absoluto desastre.

En primer lugar, el autocar no tenía aire acondicionado así que mi bebé y yo sufrimos mucho por el calor. Aunque me mareé, el conductor se negó a parar para que tomara el aire. Luego, cuando llegamos al hotel, mi habitación estaba muy sucia, no había agua caliente, mi ventana daba a una discoteca y había gente borracha gritando toda la noche. Aunque había llevado comida para mi bebé, la nevera no funcionaba así que la comida se echó a perder y tuve que comprar leche del hotel a un precio muy elevado. Para colmo, ¡encontré un gusano en mi ensalada! La ciudad de Valencia y la costa eran estupendas. No obstante, no pude pasear mucho por la ciudad ya que no me dieron un mapa como me habían dicho que harían, con lo que pasé tres días buscando la playa hasta que me perdí. Finalmente, durante el viaje de vuelta, el autocar llegó con tres horas de retraso, con lo cual perdí una cita con el médico.

Sinceramente, las condiciones de esta excursión fueron inaceptables. El servicio fue de una calidad francamente pésima, y sobre todo, el fin de semana que debería haber sido relajante, fue de lo más agobiante. No creo que sea justo hacerme pagar el precio completo dado el trato que recibí, y dado que tuve que comprar mi propia comida ya que la comida incluída era asquerosa. Quisiera que me devolvieran el dinero a la mayor brevedad posible.

Quedo a la espera de sus noticias,

Lilli M Baker

Lilli Baker

400 palabras   **Basado en un texto original de Lilli**

How to score highly with a formal letter (of complaint)

Criteria A Language (Lengua)	/ 10

Vocabulary: find these words related to TOURISM and COMPLAINING:

excursion _____	to make a complaint _____
coast _____	she assured me _____
departure _____	a total disaster _____
a seat at the front _____	I felt sick _____
room _____	he refused _____
air-con _____	delay _____
hot water _____	unacceptable _____
return journey _____	disgusting _____
quality _____	

Structures: range of past tenses and structures for narrative/description

debería haber + past participle	→	expresses the idea of what <u>should have happened</u>
íbamos a viajar	→	we <u>were going</u> to travel
no habría problema	→	<u>there wouldn't be</u> a problem
para que + imperfect subjunctive	→	"para que tomara aire" so that <u>I could</u> get some air
quisiera que me devolvieran mi dinero	→	I would like you to refund my money

Criteria B Message (Mensaje)	/ 10

Range of relevant ideas:	**Organisation:**
The ideas include the imaginary trip, poor customer service from the tour rep and the bus driver, issues to do with travel, food, hygiene, and additional problems related to the baby.	Paragraphs are essential in a formal letter: • summarize the point of the letter • give details about what was expected • include all the examples of what went wrong • end with the proposals for compensation

COHESIVE DEVICES are essential for organising your ideas. Highlight in the text the following words:

however	especially	when	then	although	firstly	until
finally	to top it all off	as	given	which meant that	so	

Criteria C Format (Formato)	/5

Format:
- ✓ Formal Spanish letters must include **address**, **date**, **formal greeting**, **standard formulaic introduction** and **closing line**.
- ✓ End with your **signature** and **name** in print underneath (do remember who you are supposed to be and sign your name appropriately!)

Conventions:
- ✓ The aim is to communicate with someone you don't know, so the register must be formal. throughout (in the usted form), with no slang or jokes.
- ✓ More formal synonyms are chosen, such as ***precio elevado*** instead of ***caro***.
- ✓ In the case of this complaint, the message is more vivid because of the <u>angry tone</u> and the <u>exaggeration</u> of her suffering, expressed by words such as ***un absoluto desastre, sufrimos, inaceptable, una calidad francamente pésima, agobiante, no creo que sea justo***.
- ✓ There are different kinds of formal letter which would all have a slightly different style eg:
  - ***carta de reclamación / carta de queja*** = letter of complaint about a product or service
  - ***carta de solicitud*** = letter of application for a job or voluntary work opportunity
  - ***carta de solicitud de información*** = letter requesting information

Ready to have a go? Try this Paper 2 style question:

Durante un discurso, el Ministro de Educación criticó a aquellos estudiantes que deciden seguir una formación profesional en lugar de ir a la universidad. Escribe una carta a dicho Ministro en la que expresas tu desacuerdo y subrayas la necesidad de diferentes tipos de profesionales.

Correo electrónico informal

An informal email shares many characteristics with an informal letter, but if the question asks for "un correo electrónico", you absolutely **must** include the electronic heading: ***to, from, date and time, subject***. You do **not** include addresses at the top.

✉ <u>Nuevo mensaje</u>

De: alice@yahoo.es
A: isabelle@yahoo.es

Fecha: 26 octubre 2011 19:04
Asunto: deberes de español

¡Hola! ¿Qué tal? ¿Has visto las últimas fotos de Ana en Facebook? ¡Qué guay! Yo no pude ir a la fiesta – tenía demasiados deberes. Sobre todo de español. Supongo que ya los habrás hecho, ¿no? ¿Me los puedes mandar por correo electrónico para ver lo que has hecho? Es que no lo entiendo muy bien. ¿Qué es un informe?

Sabes, Isabelle, estoy harta. He tenido una semana fatal en el insti, te lo juro, me han dado tantos deberes que no sé como voy a arreglármelas. Me quedo hasta las 2 de la mañana haciendo deberes y nunca termino, luego hay días en que todo me da pereza y no hago nada. Los profes no son nada comprensivos, y mis padres, ¡mejor no hablar!

Oye, conéctate a Skype y hablamos un rato, ¿vale?

Alice ☺

Basado en un texto original de Alice M

Even with **informal emails**, the examiners don't like abbreviations and slang, but you can still use colloquial expressions:

estoy harta	I'm fed up
te lo juro	I swear
Oye	hey
¿vale?	ok?
todo me da pereza	I can't be bothered with anything
¡mejor no hablar!	don't even talk about it!
¡madre mía!	oh my God!
¡uf!	(=sigh)
¡Qué rollo!	what a pain!

Correo electrónico formal

A formal email is very similar to a formal letter, in tone, style and register. However, it is vital to include the electronic heading: ***to, from, date and time, subject***. You do **not** include addresses at the top. You could attach a document in an ***archivo adjunto***.

✉ <u>Nuevo mensaje</u>

De: clopez@movistar.com.es
A: dfernandez@gmail.es

Fecha: 26 octubre 2011 14:25
Asunto: Re: el nuevo producto
Archivo adjunto: <u>manual del iphone.pdf</u>

Estimado Señor Fernández:

Gracias por su correo en el que pide información sobre el nuevo iPhone.
Le adjunto el nuevo manual con todas las instrucciones que necesitará para utilizar la pantalla táctil, hacer llamadas, mandar SMS, descargar música, acceder a Wi-Fi, y mucho más.

Le recuerdo que también puede consultar nuestra página web en <u>www.iphoneEspaña.es</u>

Un saludo,

Clara López
Departamento de Atención al Cliente

For a **formal email**, it is likely to be a work context and you may be asking for or giving advice about something.

Keep it formal and concise.

Use the ***usted*** form.

Organisation

Just because it's an email, doesn't mean you can ignore organisation! Be as organised as you would in a normal letter, whether informal or formal.

Carta al director de un periódico

Revista MODA
Avenida de Flores
Madrid

Lunes 28 de marzo

Señor Director de El País:

He visto su reportaje sobre el desfile de moda que fue publicado en la última edición de su revista y le escribo para expresar mi decepción en la manera que trató el tema. Tras haber asistido al mismo desfile, me impactó mucho la delgadez de las modelos participantes y me disgustó que su reportaje no lo mencionara. Está claro que el objetivo del artículo era elogiar a los diseñadores y sus colecciones; sin embargo, yo lo veo de otra manera. Me parece que las modelos de talla cero promueven la anorexia entre las chicas jóvenes.

En mi opinión es importante que no fomentemos la anorexia de ningún modo. Los jóvenes hoy en día, sobre todo las chicas, son muy impresionables y se dejan influir por todo lo que pasa a su alrededor. Reciben una multitud de mensajes subliminales a través de la publicidad, la televisión y las revistas que les pueden afectar a un nivel psicológico profundo. Las jóvenes se vuelven cada vez más conscientes de su propia imagen y como resultado, su autoestima invariablemente empeora. Las chicas, como ya he mencionado, intentan conseguir un cuerpo 'ideal' y acaban autodestruyéndose hasta conseguir un cuerpo anoréxico. Me entristece esta visión tan distorsionada de la belleza y, a mi parecer, es inadmisible que estemos permitiendo y promoviendo esta forma de pensar. Si seguimos haciendo la vista gorda a este problema, nunca mejorará.

Creo que una gran parte de la responsabilidad cae en las manos de los diseñadores, ya que diseñan ropa solamente para cuerpos extremadamente delgados. Cuando vi a las modelos en el desfile, podía ver sus huesos prominentes; no era atractivo en absoluto. Está claro que cuando revistas como la suya publican fotos de estas modelos, fomentan trastornos alimenticios. ¿Es ése el mensaje que verdaderamente quiere comunicar?

Deberíamos luchar contra la anorexia y hacer esfuerzos para disuadir a las chicas de que busquen cuerpos 'perfectos' ya que sólo el 2% de mujeres realmente puede aspirar a alcanzar la talla 0. Es imprescindible que les transmitamos una idea sana de la belleza para que tengan una mejor autoestima y más confianza en sí mismas.

Espero ver una actitud más responsable en su revista en el futuro.

Margaux Dubois
MADRID

379 palabras   **Basado en un texto original de Margaux**

How to score highly with a letter to a newspaper editor

Criteria A	Language (Lengua)	/ 10

Vocabulary: find these words related to MEDIA and FASHION:

fashion show _____   *self esteem*_____

the latest edition _____   *self-destructing*_____

thinness _____   *bodies*_____

*designers*_____   *to turn a blind eye* _____

size zero models _____   *eating disorders* _____

*publicity*_____   *attitude / stance* _____

Structures: EXPRESSIONS OF OPINION – highlight these expressions in the text:

a) simple expressions:

está claro que   yo lo veo de otra manera   me parece que   en mi opinión
a mi parecer   creo que   espero ver

b) complex expressions:

it displeased me that + *imperfecto de subj*   it's unacceptable that + *presente de subj*
it's important that + *presente de subj*   it's essential that + *presente de subj*

Criteria B	Message (Mensaje)	/ 10

Range of relevant ideas:
The effect of the media and fashion on impressionable young girls; the psychological aspects of eating disorders; the description of the models.

Organisation:
- The <u>1st paragraph</u> states exactly why you are writing and how angry/annoyed/disappointed you are.
- The <u>2nd paragraph</u> examines why it is a problem.
- The <u>3rd paragraph</u> discusses whose responsibility you think it is.
- The <u>last paragraph</u> suggests what should be done.

Criteria C	Format (Formato)	/5

Format:
- ✓ Start with: **the date** and ***Señor Director de El País:*** *(or El Mundo / La Jornada, etc)*
- ✓ Sign off with: **your name** and **city**

Conventions:

- ✓ This is a favourite of the examiners and is similar in style, tone and organisation to a controversial essay or article, with just a few structural differences in order to make it a letter.
- ✓ The register is formal and the style is argumentative and opinionated.
- ✓ Imagine that you are so angry about the way an issue was reported in a newspaper or magazine that you decide to write and complain, you need to present some solid arguments and be able to justify them as well as present some good ideas about what *should* be done about the whole thing.
- ✓ You usually read this particular newspaper or magazine because you agree with their ethos, so you need to express disappointment in them.
- ✓ These expressions and rhetorical questions convey the appropriate tone of anger:
  - ***no era atractivo en absoluto*** = it was <u>not at all</u> beautiful
  - ***¿es ese el mensaje que verdaderamente quiere comunicar?*** = is <u>that</u> the message you <u>really</u> want to communicate?
  - ***Deberíamos luchar contra la anorexia*** = We should <u>fight</u> anorexia

Ready to have a go? Try this Paper 2 style question:

Recientemente has leído varios artículos sobre algún tema de medio ambiente y no estás de acuerdo. Decides escribir una carta al director de dicho periódico presentando tu opinión y proponiendo soluciones al problema.

Artículo para la revista del colegio

¿Leer o no leer? ¡Ésa no debe ser la cuestión!

por Harriet Rubenstein

Acabo de leer en una revista muy conocida entre nuestros estudiantes algo con lo que no estoy de acuerdo: "leer es una pérdida de tiempo". Espero que nadie en este instituto se sienta así pero, por si acaso, intentaré explicar por qué esa declaración está muy lejos de la verdad.

Si me preguntaran: "¿leer un libro o ver la tele?" siempre diría "leer". Pero debo admitir que no siempre he sido así, antes me costaba mucho la literatura. Me aburría y me distraía fácilmente. Terminar una novela era un gran desafío para mí. Solamente leía para el cole y nunca por placer. Cuando tenía 11 años, recibí como regalo un libro que cambió mi actitud: *La cabina de peaje fantasma* de Norton Juster. Se trata de un chico que recibe una cabina de peaje fantasma y que vive aventuras maravillosas con personajes extraños para salvar a dos princesas. Cuando descubrí esta pequeña novela, supe que había libros que podían divertirme.

Un estudio reciente de este instituto revela que el cien por cien ha leído un libro que no le ha gustado. Es decir, es completamente normal comenzar a leer algo y ni siquiera terminar el primer capítulo. No te sientas mal si te pasa a ti, tampoco si no te gustan los mismos cuentos que a tus amigos. Cada persona tiene su propio gusto. Por otra parte, el mismo estudio afirma que solo el diez por cien no ha leído ningún libro que haya encontrado memorable, influyente y hasta curativo. Resulta que los libros más leídos son de la serie Harry Potter y los alumnos dicen que es porque pueden escaparse a un mundo ficticio donde pueden imaginar que tienen poderes especiales.

La idea de que leer es curativo no es nada nuevo. Hay pacientes con depresión o víctimas de abuso que forman parte de grupos de lectura promovidos por los médicos y psicólogos. Compartir historias con amigos es una manera de provocar conversación sobre temas difíciles. Los pacientes pueden identificarse con personajes que tengan condiciones similares y cuando se trata de un personaje ficticio, se puede hablar más abiertamente, sin vergüenza y sin tabúes. Es una manera liberadora de expresar tus ideas sin sentir que arriesgas tu propia intimidad. Para mí, uno de los mejores libros sobre el tema de leer en grupo es *Lolita en Teherán* escrito por Azir Nafisi. Si lo leyeras, jamás volverías a dudar del poder de la lectura.

Bueno, ahora os pregunto, ¿leer o no leer?

421 palabras   **Basado en un texto original de Harriet**

How to score highly with a school magazine article

Vocabulary: find the words related to READING:

a waste of time _____	*influential* _____
I used to find it hard _____	*to escape* _____
I'd get bored _____	*special powers* _____
I'd get distracted _____	*reading groups* _____
for pleasure _____	*fictional character* _____
my attitude _____	*without embarassment* _____
it's about _____	*taboos* _____
your own taste _____	*liberating* _____

Structures: highlight these SUBJUNCTIVE sentences in the text:
1) **Si + imperfect subjunctive + conditional**

➢ If I were asked... I would say...   ➢ If you read it, you'd never again doubt...

2) **Indefinite antecedent. This is when you are talking about something hypothetical, eg: any "book" or any "characters" that *could* exist**

➢ only 10% have not read a book that they   ➢ identify with characters that have similar
   have found memorable   conditions

Organisation and range of relevant ideas:

Title	→	The title plays on Shakespeare's quote "To be or not to be, that is the question!" but she says "To read or not to read, that shouldn't be the question!"
Introduction	→	Her inspiration for writing the article.
1st paragraph	→	She empathises with a reluctant audience by explaining how she too didn't like reading until she discovered a book she liked.
2nd paragraph	→	She outlines the relevance of reading within the school context and how it's ok not to finish books you don't like, which is reassuring.
3rd paragraph	→	She develops the topic by talking about the transcendental and curative power of books and of reading groups.
Conclusion	→	A short sentence which neatly takes you back to the beginning, and assumes that after reading the article you'll have changed your mind.

> **Format: Essential features of an article include:**
> * a **title** and **name of author**
> * an introductory paragraph
> * a concluding sentence that takes you back to the beginning

Conventions:
✓ The register is *quite* formal, but not *too* formal as it is for a school article and young readers.
✓ It is common in this type of article to begin with personal experience before moving on to a broader, more reflective look at society.
✓ Cohesive devices include: ***es decir*** (in other words) ***resulta que*** (it turns out that).

Ready to have a go? Try this Paper 2 style question:

Los jóvenes siempre están luchando contra la disciplina y las normas de la familia. Escribe un artículo para la revista de tu instituto examinando la necesidad de las normas en la familia hoy en día y proponiendo ideas para mejorar las relaciones entre toda la familia.

Artículo de opinión (editorial)

¿Conmemoraciones?

Ya es hora de cambiar la manera en que recordamos a las víctimas del 11-S

EL PAÍS I 11/09/09 I Ricardo González

Hoy es el aniversario de un día que todo el mundo recuerda. Todos hemos intentado imaginar las sensaciones vividas por las víctimas del once de septiembre del 2001 cuando dos aviones chocaron contra las Torres Gemelas en Nueva York. Hoy hemos guardado un minuto de silencio en memoria de todos los que murieron aquel día y sentimos compasión por la gente que perdió a sus seres queridos.

Sin embargo, los acontecimientos de hoy, en mi opinión, deberían llevar un mensaje diferente. Ocho años después de los atentados terroristas, solamente el 30% de los estadounidenses piensa que existe la posibilidad de que se repitan y los demás siguen sintiéndose seguros viviendo en tierra americana. Mientras hacen la vista gorda, sigue la guerra en Irak y dudo que los iraquíes se sientan seguros hasta que haya una tregua.

Si pudiera cambiaría el propósito del minuto de silencio del 11-S, recordaría que han pasado seis años desde que los americanos declararon la guerra y que todavía sigue dicha guerra; seis años desde que los americanos la nombraron 'la guerra contra el terror'; seis años desde que los británicos nos unimos a ellos.

No pasa ni un día en que no haya un titular que hable de más víctimas mortales, soldados, insurgentes, ciudadanos. En el minuto de silencio también debemos pensar en la gente inocente que muere a diario, algo convenientemente disfrazado por el eufemismo de 'daño colateral'. Quiero gritar ¡basta! Ya es hora de terminar con la guerra.

Cuando entramos en Irak, arrastrando a nuestros países aliados, ignoramos nuestras diferencias culturales, pensamos que podríamos solucionar los problemas con soldados y armas, juramos que instauraríamos la democracia. Hoy es evidente que esas ideas fueron una simplificación vergonzosa y que las dificultades son más profundas y están muy arraigadas. Hemos sustituido un gobierno corrupto por inestabilidad y caos. Nuestros ejércitos no pueden conseguir lo imposible, no pueden unir a una población que no quiere estar unida. La tasa de muertos sigue aumentando, nuestros líderes no están dispuestos a retirar las tropas, el mundo necesita una tregua.

No puedo creer que nuestros gobiernos estén malgastando tantos billones de dólares mientras hay causas que merecen más el dinero. Hoy en día hay gente sin casa a causa de desastres naturales, huérfanos hambrientos en el tercer mundo, millones padeciendo de SIDA. No digo que abandonemos a los iraquíes, sino que busquemos una manera de retirar las tropas cuanto antes. Lo mejor sería que abandonáramos el país y dejáramos el problema en manos de los soldados de paz de la ONU.

En conclusión, si queremos conmemorar a la gente que perdió la vida hace ocho años debemos hacer algo radical: terminar la guerra. Y eso sería algo que merecería un minuto de silencio.

478 palabras   **Basado en un texto original de Chloë**

How to score highly with an editorial

Criteria A Language (Lengua)	/ 10

Vocabulary: find the words related to INTERNATIONAL POLITICS:

victims_____

the Twin Towers_____

New York_____

loved ones_____

events _____

terrorist attacks _____

Americans_____

war_____

cease-fire_____

purpose_____

headline_____

democracy_____

deep-rooted_____

instability_____

chaos_____

armies _____

rate _____

leaders_____

withdraw the troops_____

governments_____

AIDS_____

the UN_____

Structures: PRESENT SUBJUNCTIVE – highlight the sentences that mean:

- The possibility of it happening again
- I doubt the Iraqis feel safe
- Not a day passes in which there isn't

- I can't believe our governments are wasting
- I'm not saying we should give up on...
  - ...but instead find...

Criteria B Message (Mensaje)	/ 10

Range of relevant ideas:

Editorials are **subjective** because they present the **opinion** of the writer or newspaper as opposed to news articles which present the facts. This article, against the war in Iraq, shows that the examiners are **not** interested in your political ideas, they are **only** looking at your ability to structure an argument, to choose the appropriate register and style, and to use a variety of vocab and structures. These articles are meant to be **controversial**, which means people will strongly agree or disagree with your stance, so don't be shy and aim to shock! Reference to 9/11 in the Spanish format (11-S) shows good cultural awareness.

Organisation:

Introduction, paragraphs outlining arguments and issues, possible solutions, conclusions, and cohesive devices are all essential features. This type of article tends to have a concluding line that takes you back to the original starting point, in this case, the minute of silence.

Criteria C Format (Formato)	/5

> **Format: Title**, summarising **subtitle**, **author's name**, **date**, **name of newspaper** are all essential features of an editorial. (In the UK, an editorial does not carry the author's name).

Conventions:

✓ Articles for publication in a newspaper must be formal.

✓ The use of the 1st person plural (**nosotros** form) implicates the reader in the argument and makes the issue everyone's responsibility.

✓ It's ok to invent statistics in the exam as long as they appear convincing.

✓ Use of rhetoric, eg **repetition of 3 to emphasize your point:**
- the repetition can be 3 verbs in the same conjugated form eg:
  ignoramos... pensamos...juramos
- or the same first few words of a sentence repeated 3 times eg:
  seis años desde que...   seis años desde que...   seis años desde que...
- or the repetition can simply be the choice of 3 similar nouns eg:
  soldados, insurgentes, ciudadanos

Ready to have a go? Try this Paper 2 style question:

Questions of this type would never refer to a specific event or issue, but will be open enough for you to interpret according to whatever is in the news or of interest to you.

Estás siguiendo un conflicto internacional pero te parece que no lo están dando suficiente atención en los medios. Decides escribir un artículo de opinión sobre dicho conflicto para el periódico local de tu ciudad.

Crónica de noticias

CHOQUE ENTRE *TIMOS* Y *MOZOS*: DOS HERIDOS

PERIÓDICO DE LA SAL | 21/08/11 | Elena Rodríguez

Un grave enfrentamiento entre dos bandas rivales, los Timos y los Mozos, deja a dos jóvenes heridos, uno en estado crítico. Es el último incidente entre estas dos bandas que llevan seis años aterrorizando el barrio de La Sal, Madrid.

El incidente tuvo lugar el viernes pasado en la salida de la discoteca Pacha en La Sal. Los testigos afirman que el incidente fue provocado por dos muchachas de 17 años que insultaron a dos muchachos del barrio. Al reaccionar con insultos, los compañeros de la chicas agredieron a los dos muchachos con un palo de metal.

"Todo ocurrió muy rápido" dijo Marisa, de 18 años, "de repente, había unos 10 o 15 chicos peleándose y golpeándose. Las chicas que lo habían empezado solo miraban y se reían".

Un vecino que había escuchado el ruido llamó a la policía. Todos se dispersaron, dejando en el suelo a los dos jóvenes de los Timos. Raúl Méndez, de 19 años, fue llevado al hospital San Pablo, donde está recuperándose de una lesión de cuchillo. El otro joven, que no puede ser nombrado por ser menor de edad, está en la UCI (Unidad de Cuidados Intensivos) en estado crítico debido a los golpes que recibió en la cabeza. Por el momento, no han detenido a nadie.

Los Mozos, que se caracterizan por sus cabezas rapadas, llevan varios años intentando incursionar en el territorio de los Timos. Marisa, que es reconocible como Timo por sus tatuajes de serpientes, nos explicó que el conflicto está demasiado arraigado, "nuestro compañero El Macho está en la cárcel debido a los Mozos y no va a haber una reconciliación hasta que salga porque era inocente."

La comunidad ha criticado al Ayuntamiento por no hacer suficiente. "Me da miedo andar por la calle," dijo la Señora López, de 64 años, vecina de la Calle San Fermín, "hace veinte años era un barrio muy seguro, ahora, hasta la policía tiene miedo. Debería haber más policías patrullando."

Pero no todos culpan a los jóvenes. "Son víctimas de la situación económica y social en que viven," asegura Cristina Gómez, psicóloga, "en ese barrio no hay nada para los jóvenes, no tienen nada que hacer, no tienen cualificaciones, sus padres están en paro, en fin, se juntan con las bandas para sentirse respetados en la comunidad."

Todo indica que esta rivalidad empeorará si no se pone más policía en la calle. "Van a enfrentarse en el Parque Jerónimo el sábado próximo" dijo Marisa, "todo el mundo sabe que la policía no hará nada".

436 palabras   **Basado en un texto original de Helena**

How to score highly with a news report

Criteria A Language (Lengua)	/ 10

Vocabulary: find these words related to GANGS:

clash_____   shaved heads _____

injured / wounded_____   tattoos_____

critical state _____   deep rooted_____

took place_____   jail _____

witnesses_____   Council _____

fighting _____   they blame_____

punching _____   unemployed_____

arrested_____   they join _____

Structures: PRETERITE: highlight these examples of the preterite tense

1. the incident <u>took place</u>
2. they <u>insulted</u>
3. they <u>attacked</u>
4. it all <u>happened</u> very fast
5. they all <u>ran away</u>
6. he <u>suffered</u> (received) blows to the head

PASSIVE VOICE: ser + past participle (+ por)

el incidente <u>fue provocado</u> por = *the incident was provoked by*
Raúl <u>fue llevado</u> al hospital = *Raúl was taken to the hospital*

Criteria B Message (Mensaje)	/ 10

Range of relevant ideas:
The article is about two rival gangs and so physical violence is mentioned as well as details about the the neighbourhood where the incident took place. Problems such a unemployment are suggested as contributing factors. 3 very different witness statements are included: a young person, a neighbour and a psychologist.

Organisation:
The key information must all come in the title and first paragraph. Each subsequent paragraph adds more detail to the event, eg: how it started and what happened as a result. The final paragraph serves as a conclusion, leaving the story unfinished, as there is the suggestion of another incident.

Criteria C Format (Formato)	/5

> **Format:** A news report MUST have a **title**, the **name of the newspaper**, **date** and name of **reporter**. The first paragraph summarises **what** happened, as well as **when**, **where**, and **who** was involved.

Conventions:
- ✓ The register is formal and the style objective / factual.
- ✓ Past tenses are used, especially the preterite (what happened) and the pluperfect (what had happened before).
- ✓ The PASSIVE voice suits news articles well.
- ✓ Subjective opinions are limited to "witness" accounts. These allows you to use other tenses and structures, such as future tense and subjunctive.
- ✓ Paragraphs are short and clearly defined.

Ready to have a go? Try this Paper 2 style question:

El fin de semana pasado, presenciaste un robo en una tienda del barrio y decides escribir un artículo para el periódico local explicando los hechos.

Informe

El País I 12/03/10

El 25% de la población española fuma a diario

Un estudio revela los hábitos de los hombres y mujeres fumadores de entre 16 y 75 años.

Una encuesta realizada por el CIS (Centro de Investigaciones Sociológicas) revela que una cuarta parte de los españoles fuma cada día. Además, según la encuesta, más hombres que mujeres consumen tabaco y fuman más los jóvenes que los mayores.

El estudio se realizó entre 17,249 varones y 18,111 mujeres con edades comprendidas entre los 16 y los 75 años. La encuesta "*¿Fumas?*" se realizó para dar a conocer como ha cambiado el consumo de tabaco por sexo y grupo de edad desde la última encuesta realizada en el 2004, o sea, antes de la prohibición del fumar en lugares públicos.

Contrariamente a la opinión pública, las estadísticas revelan que más hombres (el 34%) que mujeres fuman (22%) a diario. "*No se sabe realmente por qué es así,*" dice Pedro García, médico de Madrid, "*pero tal vez sea porque no se debe fumar cuando estás embarazada.*" Una cifra curiosa es que la mayoría de hombres fumadores tienen entre 35 y 40 años mientras que las mujeres tienen entre 25 y 35 años.

El estudio pone de manifiesto un cambio generacional preocupante para el gobierno. Según las estadísticas, el 32% de los jóvenes entre 16 y 24 años fuma, comparado con el 10% de los mayores entre 55 y 75 años. Esto muestra que las recientes campañas publicitarias para la concienciación de los peligros del tabaco en la salud han tenido poco efecto en los jóvenes quienes fuman en la misma cantidad que en el 2004. No es del todo deprimente ya que el 20% de los hombres y mujeres entre 25 y 45 años ha dejado de fumar en los últimos 5 años.

En cuanto a la prohibición de fumar en lugares públicos, un 65% opina que no ha tenido el efecto deseado ya que el propietario puede optar por permitir fumar, y la mayoría lo ha hecho así para no perder clientes. Jesús Lopez, especialista en adicciones del hospital de Madrid, dice: "*las presiones sociales siguen vigentes entre los jóvenes españoles. El gobierno debe hacer mucho más para concienciar a la población en general sobre los riesgos de fumar, desde posibles cánceres pulmonares al envejecimiento de la piel. La prohibición del fumar en lugares públicos no es suficiente, tienen que prohibir la venta del tabaco.*"

Pilar Bonet, de la Universidad de Valencia, no está de acuerdo: "*prohibir la venta del tabaco sólo provocaría su venta en el mercado negro, lo cual sería imposible controlar si consideramos la situación de las drogas ilegales. Hay que insistir en la educación y promover nuevas campañas publicitarias en Internet y en redes sociales como Facebook.*"

460 palabras   **Basado en un texto original de Lauren**

How to score highly with an official report

Criteria A Language (Lengua)	/ 10

Vocabulary: find these words related to SURVEYS and STATISTICS:

study / investigation_____   figure / number_____

survey_____   majority _____

reveals that_____   makes evident _____

a quarter_____   publicity campaigns_____

according to _____   for raising awareness_____

was carried out _____   with regards to_____

statistics_____   to still be in force _____

Structures: PERFECT TENSE: highlight all the examples of the perfect tense

how the consumption of tabaco <u>has changed</u>
recent publicity campaigns <u>have had</u> little effect on young people
20% of men and women between the ages of 25-45 <u>have stopped</u> smoking
it <u>hasn't had</u> the desired effect
the majority <u>have done</u> it this way

> **PERFECT TENSE:**
> **haber + past participle**

RELATIVE CLAUSES:

los jóvenes <u>quienes</u> fuman = *young people who smoke*
prohibir la venta del tabaco sólo provocaría su venta en el mercado negro, <u>lo cual</u> sería imposible
controlar = *to ban the sale of tobacco would just provoke its sale on the black market, <u>which</u>
would be impossible to control.*

Criteria B Message (Mensaje)	/ 10

Range of relevant ideas:

A wide range of relevant ideas including smoking tendencies by sex and age, reference to publicity campaigns, the smoking ban in Spain (cultural awareness!), and the 'expert' opinions. She hasn't overcomplicated it though, she has stuck to data about those who smoke everyday, and those who have given up in the last 5 years.

Organisation:

The ideas are very professionally organised, with the first paragraph explaining the title, the second stating the context of the investigation. The third paragraph reveals more data. Finally 2 'experts' with contrasting views give their opinions on the results.

Criteria C Format (Formato)	/5

> **Format:** A report is a formal document that presents information, usually following some sort of investigation, in which case a **title** with the most important finding / statistic, and a **subtitle** with a summary of the whole report would be effective. However, there can be more than one interpretation of what a report looks like. Depending on the question, a report could contain recommendations or persuasive elements as well as just information, or might read more like an evaluation of an event or experience. Just make sure you read the question very carefully.

Conventions:

- ✓ The register is neutral and the style objective.
- ✓ Sentences are tightly constructed with no superfluous words and very few adjectives.
- ✓ Use of the PASSIVE eg *una encuesta realizada <u>por</u>* = a survey carried out by.
- ✓ Use of COMPARATIVES eg *más que, menos que, igual que.*
- ✓ The text is mainly factual (even if you make up the facts).
- ✓ Include the opinions of 'experts'.
- ✓ **Cohesive devices** are really important to help the reader follow the content: **además** (furthermore), **contrariamente a la opinión pública** (contrary to public opinion), **o sea** (in other words), **en cuanto a** (with respect to), **ya que** (as/given that).

Ready to have a go? Try this Paper 2 style question:

Desde la llegada de un grupo de estudiantes de otra cultura, ha habido un aumento de conflictividad en tu colegio. Para poder entender las causas de los problemas y posibles soluciones, te han encargado a ti, como portvoz de los estudiantes, analizar los resultados de una encuesta estudiantil y presentar los resultados en un informe para los directores del colegio.

Propuesta

De: El comité estudiantil
A: Todos los estudiantes
Fecha: 14/10/12
Asunto: La inquietante disminución de interés por las actividades extra-escolares

Me dirijo a todos los estudiantes en nombre del comité estudiantil. Como los delegados del comité de cada clase deben saber, recientemente en las reuniones hemos estado discutiendo el tema del creciente desinterés por las actividades extra-escolares. Esta tendencia preocupante es un problema importante para mantener el sentido de comunidad en la escuela.

A la luz de esta tendencia aparente, el comité ha realizado una encuesta para investigar el problema. Los resultados de la investigación muestran que los estudiantes menor__ son los que más se interesan por una variedad de actividades (85%) pero que no tienen tiempo porque tienen demasiad__ deberes. Los estudiantes mayor__ son los que menos se interesan en las actividades ofrecid__ y es probable que **(1)**___ _____ demasiado estresad__ por los exámenes y prefieran tener una vida social en su tiempo libre a hacer actividades organizad__. Las estadísticas de la investigación muestran que solamente un 30% de los estudiantes mayor__ de 16 años hace alguna actividad extra-escolar cada semana y parece que est_ porcentaje disminuye cada año.

En la opinión de todos los miembros del comité tenemos que hacer algo para cambiar este ritmo. Las actividades extra-escolar__ son muy importantes para la comunidad del instituto. Permiten a los estudiantes hacer amigos y conocer a alumnos de otras clases y de otr__ edades. Enseñan destrezas sociales como el trabajo en equipo. También ayudan a desconectar del trabajo y a relajarse. Por este motivo, el comité quiere animar a los estudiantes a probar actividades nuev__. Creemos que ya existe una gran variedad de actividades, desde un club de ajedrez, a clubs de deporte y un club de cine.

Pero podríamos hacer más. En primer lugar, pedimos que los profesores nos **(2)**_____ menos deberes para que **(3)**_____ tiempo de participar en actividades. En segundo lugar, proponemos establecer nuevos clubs para apelar a todos los gustos. Para poder conseguir esto, necesitamos vuestra ayuda. Si tenéis ideas que podrían interesar a una gran proporción de estudiantes, enviad un correo electrónico al comité con vuestras ideas. También si os interesa organizar un club, enviadnos un mensaje.

Fomentar un buen ambiente en el instituto es responsabilidad de todos y por eso esperamos que **(4)**___ _____ a proponer ideas y a contribuir de una manera positiva.

Tessa Dreyfus

394 palabras   **Basado en un texto original de Tessa**

How to score highly with a proposal

HL

Criteria A Language (Lengua) / 10

Vocabulary: find the words related to EXTRACURRICULAR ACTIVITIES/SURVEYS:

Student council_____ statistics _____

class representatives _____ social skills _____

meetings_____ team work _____

growing disinterest_____ to encourage _____

worrying a)_____ to set up _____

           b)_____ to foment _____

sense of community _____ a good atmosphere _____

survey _____ to suggest / propose_____

Structures: ADJECTIVAL ENDINGS – fill in the blanks in paragraphs 2 and 3

PRESENT SUBJUNCTIVE – fill in the blanks in the text:

1) sentirse (ellos) _____ 3) tener (nosotros) _____

2) dar (ellos) _____ 4) animarse (vosotros) _____

Criteria B Message (Mensaje) / 10

Range of relevant ideas:
The student council and class reps, the survey, the results, the main reason for lack of participation being too much homework, the benefits of extra-curricular activities, the types of activities already on offer. The proposals are simple but realistic: teachers should set less homework and everyone should get involved in proposing new ideas. Asking for email contributions is an effective detail.

Organisation:
The 1st paragraph outlines the point of the text. The 2nd explains the survey results. The 3rd contains the persuasive arguments. The 4th contains the proposals / solutions. There is a clear conclusion.

Criteria C Format (Formato) /5

Format:
A proposal can be written or spoken. If it is written, a memo format like this example works well: **To, From, Date, Subject,** and **signed** at the end. If it is spoken, it is likely to be a mixed Text Type, eg a speech in which you make a proposal, combining elements from both text types.

Conventions:
✓ The register is formal and objective, but easily understandable by all students.
✓ The author identifies with the majority of students by using the *nosotros* form and appeals directly to the students using the *vosotros* form (*ustedes* in the US).
✓ The author starts with a formal introduction:
   Me dirijo a los estudiantes en nombre de... = I am addressing all students on behalf of...
✓ This type of question appeals to many aspects of the IB Learner Profile, like being community spirited, taking the initiative and taking responsibility. In the question, there is usually some issue or problem and the students are asked to come up with solutions. You might have been elected spokesperson to deliver the results and proposals. Your proposals don't have to be amazingly original, just realistic and well expressed.

Ready to have a go? Try this Paper 2 style question:

Últimamente ha habido muchas quejas en tu instituto por la falta de instalaciones deportivas. Como portavoz del comité estudiantil, escribe una propuesta para los directores del instituto explicando el problema y proponiendo soluciones.

Crítica de cine

Orgullo y Prejuicio

Dirección: Joe Wright
Género: Drama / Romántico
Reparto: Keira Knightley, Matthew MacFayden, Donald Sutherland, Judi Dench
Guión: Deborah Moggach (basado en la novela de Jane Austen)
Calificación: ☆ ☆ ☆ ☆

"Es una verdad universalmente reconocida que un director que quiere hacer una película de uno de los libros más conocidos de la historia, ¡tiene que estar loco!" Este pensamiento fue lo primero que se me ocurrió cuando me enteré de que tenía que hacer una reseña de esta película de Joe Wright. Dudaba que fuera una obra maestra, pero me equivoqué. Como mis lectores saben, cuando escribo una crítica en ¡Cine Ahora! pongo en duda si un libro está bien adaptado al cine. Esta adaptación de *Orgullo y Prejuicio* proporciona al público una bonita experiencia del mundo de Jane Austen.

Se trata de la historia de una familia de cinco hermanas que desean casarse y la trama es apasionada y romántica, ¡seguramente más de interés para las chicas! En particular, seguimos la historia de Elizabeth Bennet, una mujer virtuosa y aguda que intenta resistirse al Señor Darcy, un hombre rico al que no puede aguantar a causa de su arrogancia y orgullo. La química está trasladada magistralmente a la pantalla por Kiera Knightley y Matthew MacFayden, los dos protagonistas. Me alegra que los dos actores **(1)**_____ _____captar la esencia de sus personajes mientras el director muestra su talento con la tensión que crece en escenas como la del salón de baile. La elección de Tom Hollander en el papel del Señor Collins fue una elección cómica ya que su interpretación y la manera en que se interesa por todo lo que hacen los demás me hizo reír mucho. El vestuario era muy de la época y si no hubiera usado una banda sonora tan acertada, las emociones no habrían sido tan intensas.

Con respecto a esta adaptación, me parece bien que Joe Wright **(2)**_____ _____ la historia de esta manera. Ha conservado el argumento principal y ha conseguido condensar la novela sin que **(3)** _____ _____ el carácter. Las escenas como 'el rechazo de Elizabeth' se filmaron mientras llovía (una técnica muy 'Hollywood') y yo sé que es difícil creer que **(4)** _____ _____funcionar pero es verdad. Existe la posibilidad de que algunos digan que es un cliché, sin embargo pienso que es una técnica que subraya la importancia del momento.

Si tuviera que criticar la adpatación diría que el desenlace es muy precipitado: para tener más éxito, se tendría que alargar el momento en que Elizabeth se queda mirando a Pemberly. La película en conjunto es una de las mejores en toda la obra de este joven director. Me sorprendería que no consiguiera un premio por esta adaptación del cuento más romántico de la literatura inglesa.

458 palabras   **Basado en un texto original de Cheryl**

How to score highly with a film review

Criteria A	Language (Lengua)	/ 10

Vocabulary: find these words related to CINEMA:

genre _____   screen _____

script _____   characters _____

film _____   scenes_____

provides the audience _____   costumes _____

it's about _____   soundtrack _____

plot a_____   ending _____

   b)_____   prize _____

Structures: PERFECT SUBJUNCTIVE - fill in the blanks with the correct form of the verb:

1) poder (ellos) _____   3) perder (él) _____

2) adaptar (él) _____   4) poder (él) _____

Criteria B	Message (Mensaje)	/ 10

Range of relevant ideas:
She contrasts her expectations before seeing the film and how she changes her mind afterwards. She talks about the storyline, the main characters, particular scenes, the wardrobe and soundtrack. She doesn't need to explicitly say '*I recommend this film*' as her recommendation is implicit in saying that she would be surprised if it didn't win a prize.

Organisation:
Very well organised with an introduction, clear paragraphs and a conclusion.

Criteria C	Format (Formato)	/5

Format: The **title**, all the **details about the film** (director, actors, script), and the **star rating** all ensure that this text *looks* like a film review. The introduction establishes who the writer is and what publication she is reviewing the film for. The author engages clearly with her readers in the simple phrase: ***Como mis lectores saben***, which implies that she has a dedicated following for her film reviews and establishes trust in new readers.

Conventions:
- ✓ The register is formal, sentences are well constructed and it sounds quite professional.
- ✓ The tone has elements of humour, while occasional exclamations are appropriate, given that the film is a romance.
- ✓ A similar style can be used for a book or play review.
- ✓ The text is predominantly opinion.
- ✓ Either inspire people to watch the film or warn them not to bother.
- ✓ Don't give away the ending!
- ✓ The use of **COHESIVE DEVICES** is essential in order to link ideas and make the text flow well: ***como, en particular, mientras, ya que, con respecto a, de hecho***

Ready to have a go? Try these Paper 2 style questions:

- Algunas películas nunca se olvidan. Escribe una crítica para la revista de tu instituto de una película que hayas visto y que haya servido para cambiar tus perspectivas.

- A veces la versión cinematográfica de una novela es completamente diferente a como te la habías imaginado cuando leíste el libro. Escribe una crítica para una revista de cine describiendo las diferencias entre el libro y la película y explicando qué versión prefieres y por qué.

Entrevista

Entrevista con Shakira: por Olivia Leighton

La semana pasada estuvo aquí en Madrid Shakira, la famosa cantante colombiana, para participar en la Conferencia Internacional sobre el Trabajo Infantil. Es probable que no sepas que ella trabajaba de niña y por eso entiende las presiones vinculadas a esta situación. Yo tuve la increíble oportunidad de entrevistarla para esta revista.

Buenos días Shakira y muchas gracias por concertarme esta entrevista. Yo sé que ha sido una semana muy ocupada para usted.
De nada, de hecho me gusta hablar de este asunto porque es algo que me toca muy de cerca. Mis experiencias me han marcado profundamente y creo que es mi deber concienciar a la gente siempre que pueda.

¿Puede explicar para nuestros lectores sus experiencias de trabajo infantil?
Desde que tenía cinco o seis años, trabajaba de cantante, primero en la calle, y luego en conciertos y concursos infantiles. Ahora esto parece cruel, pero en esa época era la única opción para las familias humildes como la mía y en nuestro barrio era más o menos normal. Los niños trabajaban para que las familias tuvieran plata y comida. Pero hay que decir que no era lo que querían mis padres.

Y para una niña tan pequeña, ¿no era difícil trabajar día tras día?
Claro que sí, a veces era muy difícil. Había días que recuerdo muy bien cuando no quería salir a cantar y mi madre tenía que rogarme. No entendía lo raro que era lo que hacía. Aunque supongo que he sido más afortunada que la mayoría de niños trabajadores porque hasta cuando era duro, por lo menos no era peligroso. La época más difícil fue cuando crecí un poco, tenía unos doce años, y esa es la edad en que las pandillas buscan a chicas para trabajar de prostitutas o con drogas, y había que defenderse de eso.

¿Piensa que sus padres la explotaron?
Esta es una pregunta muy complicada. No quiero hablar de mi relación con mis padres, pero lo único que diría es que dudo que lo hubieran hecho si hubiera habido otra opción. Yo sé que no fue facil para ellos tampoco pero nuestro instinto como seres humanos es sobrevivir y nadie sabe lo que estaría dispuesto a hacer en las peores circunstancias.

Finalmente, ¿el trabajo infantil sigue siendo un problema en Colombia?
Lamento decir que sí, todavía es un problema muy grave, pero no sólo en Colombia sino en América Latina y en el mundo entero. Por eso fundé Pies Descalzos, mi ONG, en el barrio donde crecí, para ayudar a las víctimas del trabajo infantil, para que fueran al colegio y tuvieran un futuro mejor. Me parece que el gobierno es cada vez más consciente del problema; espero que un día podamos acabar con ello. Mientras tanto, voy a seguir hablando y fomentando una actitud más comprometida en la comunidad internacional. Yo creo que es posible cambiar las cosas si uno lo quiere lo suficiente.

Si quieres leer más sobre Shakira, se acaba de publicar su libro "Una niñez colombiana" y está disponible en www.amazon.com

511 palabras   **Basado en un texto original de Olivia**

How to score highly with an interview

Criteria A   Language (Lengua)   / 10

Vocabulary: find these words related to CHILDHOOD and POVERTY:

*as a young girl*_____   *money (slang - Latin America)*_____

*close to my heart*_____   *to beg* _____

*have had an impact on me*_____   *to defend oneself against*_____

*to raise awareness*_____   *to exploit* _____

*child labour*_____   *human beings*_____

*on the street*_____   *to survive* _____

*children's competitions*_____   *to be willing to do*_____

*poor / humble*_____   *an NGO*_____

Structures: use of LO

no era <u>lo</u> que querían mis padres = *it wasn't <u>what</u> my parents wanted*

No entendía <u>lo</u> raro que era <u>lo</u> que hacía = *I didn't understand <u>how</u> strange <u>what</u> I was doing was*

por <u>lo</u> menos no era peligroso = *<u>at least</u> it wasn't dangerous*

<u>lo</u> único que diría es que = *<u>the</u> only <u>thing</u> I would say is that*

dudo que <u>lo</u> hubieran hecho = *I doubt they would have done <u>it</u>*

nadie sabe <u>lo</u> que estaría dispuesto a hacer = *nobody knows <u>what</u> they would be willing to do*

si uno <u>lo</u> quiere <u>lo</u> suficiente = *if one wants <u>it</u> enough*

Criteria B   Message (Mensaje)   / 10

Range of relevant ideas:
Even if you have a real person in mind, it is likely that the details on the interview will be invented and it doesn't matter if it's not true. The question was about child labour and it is imagined that Shakira had to work as a child, and how this impacted on her childhood, her relationship with her parents and her charitable work as an adult.

Organisation:
Each question deals with a different aspect, while following on logically from the previous answer. There is no repetition of ideas. Questions are stimulating, while the answers get to the point, without rambling. Each answer is of a similar length. The candidate doesn't run out of time, as the last question is clearly the end of the interview (*finalmente*) which is the equivalent of a conclusion.

Criteria C   Format (Formato)   /5

> **Format:** Essential elements for an interview include a **title**, an **introduction** to the interviewee and the context, and clearly differentiated **questions and answers**, as well as a concluding sentence.

Conventions:
✓ As it is a conversation, it is important to convey 2 different voices.

✓ The tone is friendly and the content is personal.

✓ The interviewer shows respect for the author by addressing her in the usted form and using the correct pronouns and verb endings eg: **¿pued<u>e</u> explicar?, <u>sus</u> experiencias**

✓ Use question marks and **INTERROGATIVES** (question words) eg ¿qué? ¿cómo? ¿quién? ¿por qué? ¿dónde? ¿cuándo? ¿desde hace cuánto tiempo? as well as other ways of expressing a question eg ¿puede explicar... / contar... / decir... / recordar...? ¿Qué opina de...?

Ready to have a go? Try this Paper 2 style question:

Como parte de unas jornadas culturales que se están celebrando en tu colegio, tienes la oportunidad de entrevistar a un conocido deportista de habla hispana para la revista de tu colegio. Escribe la transcipción de la entrevista.

Discurso (de agradecimiento)

 ¡Hola a todos! Profesores, padres, compañeros, amigos, mamá... ¡Gracias!

Después de nueve años de entrenamiento, estoy aquí, hoy, delante de todos ustedes, agarrando la copa del primer premio en los campeonatos de este colegio. Algo que, hace nueve años, nunca habría pensado que fuera posible.

Cuando tenía nueve años, mi padre murió, y entonces no teníamos mucho dinero. Tuvimos que mudarnos de casa, y tuve que empezar en un colegio nuevo. Cada día era una lucha pero mi madre se convirtió en la fuerza motivadora de mi vida.

Al principio en el colegio nuevo me costó hacer amigos y mi madre sugirió que me apuntara a los clubes de deporte: hockey, gimnasia, atletismo, ¡todo! Siempre había admirado a Kelly Holmes y me gustaba correr, pero siempre lo hacía sola.

Además, tenía unas zapatillas de correr muy básicas y me daban un poco de vergüenza. Pero cuando entré en el equipo escolar de atletismo, pude pedir becas y debo dar las gracias a Adidas que ha patrocinado mi ropa y calzado deportivo desde hace ya cinco años. Gracias a su generosidad me siento como una verdadera atleta.

Representar a este colegio en las competiciones regionales ha sido un sueño para mí. El apoyo que recibo de los profesores y la dedicación de los otros estudiantes me inspira a querer mejorar todo lo que pueda.

Correr no es una disciplina fácil. Me afecta de muchas maneras. Cuando tengo que viajar lejos para competir echo de menos a mi familia. Mi rutina diaria es muy estricta. Tengo que madrugar para entrenar en la pista antes de las clases y continúo después de las clases hasta tarde. Mi dieta también es estricta. Tengo que comer mucha proteína y cuando es el cumpleaños de alguien no puedo permitirme probar el pastel.

Lo más difícil ha sido compaginar el deporte con mis estudios. No siempre he podido hacer mis deberes y suelo sacar peores notas de las que realmente podría sacar si tuviera más tiempo para estudiar. Cuando es época de exámenes, me siento mal por no poder estar en la biblioteca con todos, compartiendo apuntes y chistes.

Pero en ningún momento diría que no ha valido la pena.

Cuando veo a Kelly Holmes ganando medallas, me inspira y me anima y me da más confianza porque veo los niveles que podría alcanzar si pusiera toda mi determinación en correr.

Aunque haya competido fuera del colegio, los campeonatos escolares también son importantes porque es aquí donde empezó todo. ¡Y ustedes también lo pueden hacer!

Cuando gano una carrera y veo la mirada de orgullo en la cara de mi madre, me doy cuenta de que vale la pena. Ella ha sacrificado mucho para que yo pudiera vivir mis sueños. Mamá, te quiero mucho y siempre estaré muy agradecida. Señorita López, compañeros del equipo, no lo podría haber hecho sin todos ustedes.

¡Gracias!

489 palabras   **Basado en un texto original de Chloë**

How to score highly with a speech (of thanks)

Criteria A   Language (Lengua)   **/ 10**

Vocabulary: find these words related to SPORT and PERSONAL SACRIFICE:

training _____	*I miss* _____
the cup _____	*to get up very early* _____
motivating force _____	*medals* _____
to admire _____	*determination* _____
I was embarrassed _____	*race* _____
athlete _____	*look of pride* _____
competitions _____	*team* _____

Structures: IMPERFECT SUBJUNCTIVE – highlight the sentences that mean:

1. I never would have thought <u>it were</u> possible
2. My mother suggested that <u>I sign</u> up to sports clubs
3. I tend to get worse grades than I really could if <u>I had</u> more time
4. I see the levels I could reach if <u>I put</u> all my determination into running
5. She's sacrificed a lot so that <u>I could</u> live my dreams

For narrative to work, you also need good control over PAST TENSES, especially the PRETERITE and IMPERFECT. Highlight examples of each tense in different colours.

Criteria B   Message (Mensaje)   **/ 10**

Range of relevant ideas:
The sport chosen is running. She includes ideas about her family background, people who have helped or inspired her, the sacrifices involved in achieving highly in sport, including the effect on friendships, diet and studies, and her ambitions.

Organisation:
There is clear progression in the story: humble beginnings, early successes, sacrifices, and an optimistic ending.

Criteria C   Format (Formato)   **/5**

> **Format:**
> Start by **addressing your audience**. In a school context *hola* is appropriate. A simple *gracias* at the end is fine. Do leave spaces between your paragraphs for dramatic effect on the page.

Conventions:
- ✓ This kind of speech can be quite sentimental; think of the Oscars!
- ✓ The register should be fairly formal but the style intimate.
- ✓ It is appelative (which means you appeal directly to the audience):
  ¡ustedes también lo pueden hacer! = you can do it too!
  ¡no lo podría haber hecho sin todos ustedes! = I couldn't have done it without you!
- ✓ The emotional charge is of rhetorical importance as it helps the audience feel moved by her story: *ha sido un sueño* = it's been a dream
  me inspira a ser la mejor que pueda = she inspires me to be the best that I can
  no hay ni un momento en que diría que no ha valido la pena = there's not a single moment when I would say it hasn't been worth it.

Ready to have a go? Try these Paper 2 style questions:

- Tu abuelo/a está celebrando sus 80 años. Durante la fiesta decides dar un discurso para celebrar todo lo que tu abuelo/a ha logrado en su vida y cómo te ha inspirado.
- Es el final del BI y ha habido momentos duros y momentos de alegría. En la fiesta del fin de curso, te han elegido dar el discurso de despedida.
- Se están celebrando unas jornadas dedicadas al arte en tu instituto. Tú has sido responsable de organizar una exposición y has invitado a un artista que admiras, vivo o muerto, para dar el discurso de inauguración. Transcribe el texto del discurso.

Discurso persuasivo

 Ciudadanos, estudiantes, jóvenes, amigos... gracias a todos por estar aquí hoy.

Gracias por su apoyo durante estas Jornadas para la Paz. Me da mucha esperanza ver a tanta gente aquí.

La lucha contra los conflictos internacionales y la lucha por la paz es un tema que me apasiona. Como persona joven con opiniones fuertes, pienso que puedo representar y apelar a los jóvenes para que ayudemos a poner fin a los conflictos en el mundo ya que ¡seremos nosotros los que tendremos que solucionar mañana los problemas que nos dejen los líderes de hoy!

El conflicto internacional no es nada nuevo, pero con la tecnología que sigue mejorando día a día, es posible hacer más daño, provocar más sufrimiento y causar más muertes inocentes. ¿Qué podemos hacer? Es una pregunta que los políticos discuten todos los días. He aquí la respuesta: nosotros también podemos usar la tecnología para lograr la paz. Hemos crecido con Internet y hemos experimentado su poder e influencia. ¿Por qué no lo utilizamos como catalizador de la paz? Hagan peticiones al gobierno, recojan firmas, apoyen campañas de paz, escriban a los ministros, trabajen para las ONG.

Los ataques terroristas ocurren con más frecuencia y cada vez tienen más impacto en la vida humana, sobre todo en la vida de los civiles. Muchos países están bajo el riesgo contínuo de atentados suicidas y coches bomba. Hombres, mujeres, niños. Todos están en peligro. De hecho, en lugares por todo el Oriente Medio niños menores de diez años llevan armas. Como joven, lo encuentro chocante. Es difícil imaginar el sufrimiento y el miedo que los jóvenes en países como Irak o Afganistán pasan todos los días.

Como jóvenes, nos hallamos en una posición muy afortunada, una posición que debemos utilizar bien. En mi opinión, no podemos terminar los conflictos con una guerra. Esto es sencillamente hipócrita.

Es imperioso que hagamos algo para terminar con el odio que causa el terrorismo.

Si pudiéramos terminar con el odio, podríamos conseguir un poco de control sobre los terroristas.

Si todos aportáramos nuestro granito de arena seríamos más poderosos que un millón de ejércitos.

Todo el mundo está fijando los ojos en las acciones de nuestra generación.

¡No hay límites de lo que podemos hacer para que nuestros hijos y nietos crezcan en un mundo de paz!

Gracias.

383 palabras   **Basado en textos originales de Tessa y Lilli**

How to score highly with a persuasive speech

Criteria A	Language (Lengua)	/ 10

Vocabulary: find these words related to CONFLICT and PEACE:

citizens _____   suffering_____

hope_____   politicians_____

peace_____   power _____

the fight for _____   campaigns _____

I feel passionate about _____   NGOs _____

to appeal to _____   civilians _____

to solve_____   the Middle East _____

leaders_____   weapons _____

damage _____   hypocritical_____

Structures: highlight these COMPLEX STRUCTURES:

2 examples of   **"si + imperfecto de subjuntivo + condicional"**

2 examples of   **"para que + presente de subjuntivo"**

1 example of   **"es + adjetivo + que + presente de subjuntivo"**

Criteria B	Message (Mensaje)	/ 10

Range of ideas:

An idea that stands out is how technology makes warfare more deadly, but that it can also be harnessed for the pursuit of peace. As the question had referred to the role of young people, the author makes constant reference to young people: that it's other young people suffering, that young people have the answers that politicians don't have – this all creates empathy with the audience and a sense of possibility. Include concrete examples, make concrete suggestions and avoid total generalizations.

Organisation:
- A clear beginning which addresses the audience.
- Distinct paragraphs and statements.
- A series of motivating declarations that get increasingly dramatic.

Criteria C	Format (Formato)	/5

> **Format:** It is essential to **address your audience** and **state clearly why you are all gathered**. Finish with a concluding statement and *gracias*.

Conventions:
✓ Speeches may all look similar, but this is where you need to be clear about your communicative purpose. For example, the tone of a persuasive speech is more similar to that of a controversial essay, but with structural and rhetorical features that make it a convincing spoken text. By mentioning the presence of adults in the audience, you can use the ***usted*** form to address your audience, which is a bit easier than ***vosotros***.

✓ The language is formal and the tone is powerful, with a sense of urgency. Grandiose sentences are employed to present grandiose ideas.

✓ If you've ever focused on politicians' speeches, you'll notice they are full of powerful statements followed by **pauses**. This gives the audience time to process what is being said. Convey this on exam paper by leaving lines between your sentences.

✓ Language is used to persuade the audience to unite. Therefore, speak not just for yourself but use ***nosotros*** to implicate all young people (and everyone in the audience): ***seremos nosotros*** (it will be us), ***nos hallamos en*** (we find ourselves in).

✓ Use imperatives as these are words of action: ***busquen*** *(find)*, ***firmen*** *(sign)*, ***apoyen*** *(support)*, ***escriban*** *(write)*, ***trabajen*** *(work)*

✓ **Repetition of 3** for emphasis eg: 3 infinitives: ***hacer...provocar...causar...***

Ready to have a go? Try this Paper 2 style question:

Se van a celebrar una jornadas para la igualdad de oportunidades entre hombres y mujeres en tu instituto. Redacta el texto del discurso que darás en la inauguración de dichas jornadas.

Introducción a conferencia o debate

 Buenos días a todos, compañeros y profesores.

Gracias por asistir a esta conferencia que hemos convocado aquí en el instituto para apoyar a las jornadas contra la intolerancia que se están celebrando en nuestra ciudad. Si me permiten, voy a introducir el tema brevemente y luego habrá la oportunidad de abrir la discusión a sus preguntas; a las que intentaré responder con la ayuda de mis colegas Ayesha, Mateo y Vicente.

Bueno, como ya saben, la intolerancia racial es uno de los temas más polémicos de nuestros días. Pero también es algo que nos afecta de cerca y entonces **es importante que** (a)_____ de ello. Creo que todos hemos visto las noticias recientes de la actitud de algunos ciudadanos frente a los inmigrantes que llegan a nuestra ciudad, pero tengo la firme convicción de que se trata sólo de la voz de una minoría.

Cada día, cientos de personas vienen a España – legalmente o no – en busca de una nueva vida. Sus razones son varias y múltiples: problemas políticos, económicos, o personales en sus países de origen – o quizás ninguna de éstas. Pero todos tienen el mismo objetivo: rehacer su vida y mejorarla. En fin, no importa por qué vienen; somos anfitriones y debemos actuar como tales.

En nuestro colegio **es una suerte que** (b)_____ tal diversidad étnica de estudiantes y profesores. En cada clase hay por lo menos doce nacionalidades, ya sea marroquí, italiano, americano, francés o coreano, sólo por mencionar algunos. Yo creo que todos se sienten integrados y, **que yo** (c)_____, no sufren racismo o discriminación ni dentro ni fuera del instituto.

Pero no es lo mismo para otros, para los que llegan a nuestra ciudad sin nada y sin nadie. Y no todos hablan español. Para los hispanoamericanos la barerra de lengua no es tan fuerte, además la cultura es parecida. Si puedes comunicarte en el mismo idioma, la experiencia demuestra que la gente tiene más confianza como para relacionarse contigo. Pero para los otros...

No hay ninguna razón para la intolerancia que hemos visto recientemente hacia los inmigrantes. **¡Es un mito que** los extranjeros nos (d)_____ nuestros trabajos! De hecho, o hacen los trabajos que los españoles no quieren hacer o ya tienen estudios superiores y aportan muchísimo a la ciudad. Esta gente tiene la valentía de enfrentarse a la discriminación racial. Nosotros deberíamos tener la valentía de luchar contra el racismo.

Espero que estas jornadas que estamos celebrando en nuestra ciudad se (e)_____ cada año y **propongo que** (f)_____ lo mismo en el instituto, para fomentar la tolerancia y la integración, y concienciarnos de los beneficios del multiculturalismo en nuestro colegio y en nuestra ciudad.

Bueno, gracias por su atención. Vamos a abrir la discusión a sus preguntas y comentarios.

456 palabras   **Basado en un texto original de Alice A**

How to score highly with an introduction to a conference

Criteria A   Language (Lengua)   / 10

Vocabulary: find these words related to IMMIGRATION:

support _____   racism _____
racial intolerance _____   discrimination _____
controversial _____   barrier _____
minority _____   immigrants _____
legally _____   courage _____
to start afresh _____   to confront _____
hosts _____   encourage / promote _____
ethnic diversity _____   raise awareness _____
integrated _____   multiculturalism _____

Structures: PRESENT SUBJUNCTIVE – fill in the gaps with the appropriate form:

a) **hablar** (nosotros)   d) **quitar** (ellos)
b) **tener** (nosotros)   e) **repetirse** (ellos)
c) **saber** (yo) (*This phrase means "as far as I know"*)   f) **hacer** (nosotros)

Criteria B   Message (Mensaje)   / 10

Range of relevant ideas:
Recent local troubles caused by intolerance towards immigrants; some reasons for immigration; racial diversity within the school as something positive; those for whom it is difficult to integrate; why intolerance is wrong; proposals to improve the situation.

Organisation:
* **Introduction** – set the context and state clearly why everyone is gathered here.
* **Paragraphs** – each paragraph should deal with a distinct idea.
* **Conclusion** – thank the audience for listening and open up the discussion to questions.

Criteria C   Format (Formato)   /5

Format: A conference speech is similar to a normal persuasive speech and might deal with a similar topic. However, imagine that instead of standing at a podium addressing a huge crowd, you are seated at a table, like at a press conference, and your job is to introduce the issue, and possibly the other speakers, and then open up the discussion to questions and debate.

Conventions:
✓ This type of speech should be argumentative and persuasive, but more formal, and less grandiose than the Persuasive speech.
✓ The tone and register are formal and respectful.
✓ It is likely you will need to propose solutions that are realistic within the context.
✓ The speaker appeals directly to the audience (use *ustedes* if teachers or other adults are present):
   eg: **si me permiten** = *if you'll allow me*   **como ya saben** = *as you already know*
✓ The speaker uses the nosotros form to implicate the audience and create a sense of unity
   eg: **nos afecta** = *it affects us*   **todos hemos visto** = *we have all seen*

What are "Jornadas"? → Jornadas are days dedicated to raising awareness of an issue, like Black History Month or AIDS Awareness Day. If the question mentions that you are "*celebrando unas jornadas en tu instituto*" then imagine a week of events such as exhibitions, film screenings, fundraising events and guest speakers, all with the purpose of raising awareness of an issue. Do try to make reference to this context in your answer.

Ready to have a go? Try this Paper 2 style question:

Las autoridades locales han organizado una conferencia pública con el fin de conocer la opinión de los residentes sobre una nueva central de energía alternativa en su barrio. Introduce la conferencia en nombre de los jóvenes.

Ensayo / Redacción equilibrada

Los jóvenes y las drogas, ¿quién tiene la responsabilidad?

Hoy es un hecho bien sabido que el número de adolescentes que consume drogas está aumentando y uno de los temas que más preocupa a la opinión pública es el efecto de las drogas y sus indudables peligros. Otro tema que se ha planteado reiteradamente es el papel que juegan los padres en el asunto. Muchos padres hoy en día no se dan cuenta de que sus hijos experimentan con drogas, o se niegan a hablar con ellos del asunto, negándoles información importante para que tomen decisiones responsables.

En primer lugar conviene examinar si los padres protegen a sus hijos lo suficiente de las drogas. Es verdad que los jóvenes consumen drogas pero a veces se les critica demasiado. Según algunos estudios, no es sólo la culpa de los jóvenes. Los padres y las escuelas tienen la responsabilidad de explicar los efectos y las consecuencias de tomar drogas. Es extremadamente fácil para los adolescentes hacer un botellón, conocer un camello y conseguir algo más fuerte. Quizás hace 30 años era más difícil tener conexiones y el narcotráfico no afectaba a tantos sectores de la población. Pero hay adultos que siguen creyendo que la drogadicción es algo que les pasa a otros – a la amiga del hijo, o al amigo de la amiga – nunca a su propio hijo. Como consecuencia, es difícil tener un debate honesto.

Pasemos ahora a considerar otro aspecto del tema que nos ocupa. ¿Son los jóvenes más ingenuos que antes? A pesar de toda la información disponible, parece que su percepción de los riesgos no es buena y siguen sufriendo mucho por la presión de su grupo de amigos. A corto plazo puede que piensen que es algo guay que hacer pero no se dan cuenta de que a largo plazo es muy dañino, sobre todo si se saltan demasiado los límites. Se conoce bien el camino resbaloso: los chavales empiezan con un cigarro, una cerveza, luego marihuana, y es entonces cuando aumenta el riesgo de que prueben la cocaína o el éxtasis. A pesar de todo, los adultos piensan que el problema es mayor de lo que realmente es. Es comprensible que digan que todos los jóvenes toman drogas, pero en realidad, no es así. Hay muchos jóvenes que toman decisiones sensatas y responsables.

Por mucho que se complique el debate, no se puede negar que el consumo de drogas entre los adolescentes es un problema grave. Aunque el gobierno intente combatir el problema, es improbable que lo vaya a erradicar, ya que el presupuesto es demasiado pequeño. Aún así, debería ser una prioridad. Las consecuencias de la drogodependencia son catastróficas tanto para el individuo como para la sociedad. Es imprescindible que los padres se impliquen más. Hay que evitar dar mala fama a todos los jóvenes pero los jóvenes también tienen que estar dispuestos a proponer soluciones.

475 palabras   **Basado en un texto original de Jess**

How to score highly with a balanced essay

Vocabulary: find these words related to YOUNG PEOPLE and DRUGS:

fact _____	*available* _____
is increasing _____	*risks* _____
dangers _____	*peer pressure* _____
they don't realise _____	*cool* _____
they refuse to _____	*young people / kids* _____
fault _____	*sensible* _____
to binge drink _____	*a serious problem* _____
drug dealer (slang) _____	*budget* _____
drug trafficking _____	*to give a bad reputation to* _____
naive _____	*to be prepared to* _____

Structures: highlight these IDIOMATIC EXPRESSIONS:

- jugar un papel = *to play a role*
- darse cuenta de = *to realise*
- negarse a = *to refuse to do something*
- negarle algo a alguien = *to deny someone something*

Organisation and range of ideas:

Introduction – An outline of how serious the problem is; the role of parents is brought into question.

Thesis – The argument is that parents don't realise how easy it is for their kids to get hold of drugs and don't engage in serious debate, which is unhelpful.

Antithesis – The counter argument is that young people need to take more responsibility as all the information is readily available. However, most young people are sensible and don't deserve a bad reputation.

Conclusion – The conclusion is that the consequences of drug addiction are terrible for society as well as the individual. Therefore, the government needs to invest more money in the issue and both parents and young people need to take more responsibility.

> **Format: How to structure a basic "for & against" essay:**
> | | |
> |---|---|
> | **Title** | – The exam question may tell you what title to use |
> | **Introduction** | – This sets out the parameters of the essay |
> | **Thesis** | – One side to the argument |
> | **Antithesis** | – A counter argument |
> | **Conclusion** | – Draw together a clear answer to the title or leave the question open |

Conventions:

✓ The register is formal and the style discursive.

✓ The arguments don't need to be ground breakingly insightful, just organised and reasoned.

✓ The examiners will be looking for **structural elements**. Look carefully at the beginning formulae of each paragraph as this demonstrates structure.

✓ The examiner will also be looking for **cohesive devices**, which help the argument flow more coherently. Underline or highlight examples in the text of cohesive devices, either at the beginning of sentences or in the middle, eg:
Como consecuencia / A pesar de todo / pero en realidad / tanto...como...

Ready to have a go? Try this Paper 2 style question:

Tienes que escribir una redacción para la clase de español sobre el tema: "Los avances tecnológicos: ¿buenos o malos para el medio ambiente?"

HL Section B: Reasoned Argument

This task requires you to express your *"personal and justified opinion"* in **150-250 words** in response to a question, statement or quote related to one of the **Core Topics:** *Relaciones sociales, Cuestiones globales, Comunicación y medios*. Given that you have 1hr 30mins for the whole paper and Section A is worth more, realistically you have about **20-30 minutes** to write this answer. Although the question might not stipulate the Text Type you have to use, the Text Type best suited to this task is an **Argumentative Essay** and you will want a winning formula that you can apply to any question. There is no right or wrong answer to this question, the examiner is looking for *your* personal opinion. You don't get marks for being "right", you get marks for arguing your point of view effectively. Bear in mind that there is ample opportunity in Section A to be creative, but for Section B, you need to show that you can express a concise and convincing argument.

Assessment criteria for Reasoned Argument explained

The assessment criteria for Language are the same as in Section A, but instead of Message and Format, you are marked on your Argument. Over the whole paper, this means you are marked twice for language, although you might expect the type of language you use in an essay to be quite different to that used in one of the other Text Types.

Criteria A Language (Lengua)	/10

The language criteria are the same as for Section A, but also:

- Aim to use more formal **vocabulary** and verbs, as well as linking words.

- Every word counts in this task, so use **complex structures** for maximum impact.

- If you don't write the **minimum number of words**, you will be penalised 1 mark.

Criteria B Argument (Argumentación)	/10

This refers to your ability to organise and develop relevant ideas:

- **Ideas** should be relevant to the question set. You may agree with or criticise the author's point of view, but in either case, you must make your own point of view very clear.

- The **development of ideas** should be clear and coherent and to do this you need to use linking words and cohesive devices. Ideas should also be developed in some detail and supported by appropriate examples.

What is an *Ensayo Argumentativo*?

 The traditional argumentative essay in Spanish aims to present and defend a personal, subjective point of view, using examples of a historical / political nature, or from personal experience, in order to convince the reader. The essay does not set out to provide truths but to sow seeds of doubt and uncertainty, to encourage reflection or pose a new way of looking at an old problem. The best essays are also playful, demonstrating irony or humour.

Characteristics of a good *Ensayo Argumentativo*:

➢ **Concise:** be very selective in your choice of ideas and examples; you can't include everything you would want to in 150-250 words or it will come across as confused.

➢ **Precise:** use precise vocabulary and connecting words to get your point across.

➢ **Consistent:** choose a viewpoint and stick to it. Of course in your own mind you could see the pros and cons of an argument, but if your argument becomes contradictory, your essay will lose its thread.

➢ **Coherent:** plan your essay and use paragraphs and connecting words to link your ideas into a coherent form; try not to ramble.

➢ **Cultured:** show evidence of your reading and cultural awareness by choosing appropriate examples and making a comparison with another country or culture.

Winning structure of an argumentative essay in 150-250 words

Introduction ➔ You can include a short title. Keep the introduction very brief (2 sentences). Grab the reader's attention by picking out the essential issue in the stimulus text and rephrasing it as a rhetorical question. Present the viewpoint you are going to take.

Development ➔ Choose 2-3 main ideas that support your point of view (2-3 short paragraphs). In each paragraph, give an example or statistic to support your idea. One of these ideas should be intercultural, ie making a comparison between Hispanic culture and your own culture. Remember, be consistent, don't contradict yourself.

Conclusion ➔ Refer back to your orginal question and conclude that you have proved your suggested viewpoint (2 sentences) or pose another rhetorical question that raises uncertainty about the future. Remember, there is no right or wrong answer.

Winning phrases for a Reasoned Argument

Introducción
- Esta declaración trata de...
  y precisamente el hecho de que + *subjuntivo*...
- El autor subraya la importancia de... hace hincapié en...
  se centra en... afirma que... declara que... sugiere que...
- El fragmento nos llama la atención al hecho de que... Según el autor/el fragmento...
- Hay que preguntarnos... Cabe preguntarse si... ¿cómo se explica este fenómeno?
  ¿cómo se puede justificar tal postura? ¿a qué se debe este problema? ¿es el problema
  tan grave como parece?
- En mi opinión... Desde mi punto de vista... Todo lleva a pensar que...
- No estoy de acuerdo en absoluto... No comparto en absoluto esta idea...
- No se debe generalizar pero… Hay que reconocer que... Hay que analizar entonces...

Desarrollo
- Pienso que... Creo que... Personalmente…Es cierto que / está claro que + *indicativo*
- No pienso que... No creo que... Dudo que... Puede que + *subjuntivo*
- Es probable / innegable / chocante / interesante que + *subjuntivo*
- Por un lado…por otro lado…   Por una parte…por otra parte…
- Esto significa que… No es de extrañar que…
- Es más complejo de lo que parece a primera vista...
- En primer lugar…en segundo lugar…finalmente…
- Luego…Claro…Además…Por ejemplo... Pongamos como ejemplo...
- Desde luego…. Eso no tiene nada que ver con….
- En cuanto a.... Y no solo eso…sino también... Y por si eso fuera poco...
- Lo que de verdad me preocupa es…
- Aunque... Si bien es posible que... Hay personas que... Quiero decir que…
- Sin embargo... No obstante... En cambio... Al contrario...
- De hecho... En realidad... Igualmente... o sea…
- Por lo tanto... Como consecuencia...   Así que... De esa manera... Por eso...
- Cuando se compara la situación en Francia… deja claro que... Lo que tienen en
  común... De la misma manera... Comparado con... Parece igual en... En vez de...

Conclusión
- En conclusión... En resumen... En breve... Para resumir... En fin...
  En pocas palabras...
- Por las razones expresadas / expuestas / explicadas / presentadas aquí...
- Dados todos los argumentos... Todo parece indicar que... En su mayor parte...
- No cabe duda de que... Sin duda... Indudablemente...
- La cuestión se reduce en lo esencial a...
- Es fácil ver que...
- Espero que cambien las cosas… Espero que nuestras decisiones sean las correctas…
- Para conseguirlo, lo primero que tenemos que hacer es…

HL Section B exam style questions

The ONLY way to get better is to practise under timed conditions. Choose your favourite set phrases and try these questions. Ask your teacher to mark them.

Instrucciones:

A partir del fragmento siguiente, expresa **tu opinión personal y justifícala**. Escribe entre 150-250 palabras.

Relaciones sociales

1. Muchos padres lamentan que sus hijos no sepan quienes son Che Guevara o Mahatma Ghandhi y que solo admiran a celebridades sin talento que promuevan valores superficiales. Definitivamente, los "héroes" de hoy no son como los de antes.

2. "*Las verdades, como las rosas, tienen espinas; recíbelas por la parte de la flor y no te pincharás*" dijo el poeta español Polo de Medina (1603-1676). ¿Siempre es mejor saber la verdad? ¿Siempre es malo mentir?

3. Dada la alta tasa de divorcio, es normal que muchas parejas modernas decidan convivir en vez de casarse.

4. El multilingüismo puede entenderse como el saber comunicarse en, por lo menos, la lengua materna y dos otras lenguas. Según el Consejo de la Unión Europea, promover el multilingüismo mejora el diálogo intercultural y crea prosperidad.

Cuestiones globales

5. Terremotos, tsunamis, huracanes, hambrunas…parece que los desastres naturales aumentan en frecuencia cada año. Ya no queda argumento para los escépticos del cambio climático.

6. En el mundo globalizado del siglo XXI no hay espacio para la religión.

7. Durante años España recibió a miles de inmigrantes que buscaban hacer de ese país un hogar donde empezar de nuevo. Hoy, a causa del paro, muchos jóvenes españoles están buscando en otros países una oportunidad de construirse un futuro mejor.

8. Un conocido escritor mexicano ha dicho recientemente que el problema del narcotráfico solo se resolverá con la cooperación política de los países afectados.

Comunicación y medios

9. Los famosos tienen la responsabilidad de comportarse con decencia.

10. Muchos adultos se sienten cada vez más lejanos de sus hijos adolescentes ya que ellos se relacionan más en el entorno virtual que en el mundo real.

11. Gracias a las redes sociales, la antigua idea de la intimidad ha desaparecido.

12. Tradicionalmente el ciudadano se limitaba a conocer lo que pasaba en el mundo a través de las noticias en la televisión, la radio o el periódico. Ahora, cada ciudadano que disponga de cámara digital y acceso a Internet puede ser "periodista" y emitir las noticias que ocurran a su alrededor.

Model examples of a Reasoned Argument

Relaciones sociales

"El mercado laboral está cambiando. Los jóvenes que no sepan manejarse en otros idiomas y en otras culturas perderán oportunidades a la hora de buscar empleo."

¿Las competencias interculturales son esenciales en el mercado laboral actual? <u>Desde mi punto de vista</u> no hay duda de que la competencia intercultural es lo más importante para tener éxito en el mundo laboral.

<u>En primer lugar</u>, la globalización significa que la mayoría de las empresas tiene oficinas en otros países y exige que los empleados viajen allí para reuniones. <u>Por eso</u>, los empleados tendrán que saber como comportarse de una manera respetuosa para solucionar conflictos y evitar malentendidos <u>porque</u> cada cultura tiene su manera de abordar un problema.

El fragmento <u>también</u> nos llama la atención al hecho de que los jóvenes que no muestren habilidades interculturales puedan perder oportunidades de trabajo. <u>Según</u> un informe reciente, el 70% de los empleadores dijeron que buscaban a candidatos que las ofrecían.

<u>Finalmente</u>, en un ambiente empresarial competitivo, <u>creo que</u> hablar sólo un idioma es una desventaja. Los jóvenes españoles que solo hablan su lengua materna no pueden competir con otros candidatos europeos cuando solicitan puestos en empresas multinacionales. <u>Esto no es el caso en</u> Alemania, por ejemplo, donde la mayoría de los jóvenes habla varios idiomas y hay menos paro.

<u>En resumen</u>, es imprescindible que los jóvenes de hoy sean capaces de manejarse no solo en otras culturas sino en otros idiomas si quieren conseguir buenos empleos. <u>A pesar de esto</u>, ¿estará dispuesto el gobierno a hacer obligatoria la enseñanza de los idiomas en los colegios?

234 palabras

Cuestiones globales

"Un creciente número de personas en tu país piensa que la inmigración es un problema que necesita solucionarse con urgencia."

Todos coinciden en que la inmigración ilegal es un problema <u>pero</u> ¿es el problema de la inmigración en general tan grave como parece?

Hay quienes comentan que España deja entrar a demasiados inmigrantes comparado con otros países pero la verdad es que están equivocados. <u>En realidad</u>, España ocupa

---

el sexto puesto en la Unión Europea en cuanto a la acogida de inmigrantes.

En segundo lugar, a causa de la crisis económica, cada vez más españoles se buscan la vida fuera del país. De hecho, España tiene 1,2 millones más emigrantes que inmigrantes. ¿No sería mejor solucionar el problema de la falta de oportunidades antes de criticar a los inmigrantes?

Y si eso fuera poco, los demógrafos de la UE han concluido en un informe que España tiene la tasa de natalidad más baja de Europa. Esto significa que hace falta acoger a 12 milliones de inmigrantes antes del 2050 para mantener su fuerza de trabajo actual. Aunque la gente no lo quiera aceptar, la inmigración es algo totalmente necesario.

En conclusión, no creo que la inmigración sea el problema, sino las actitudes de la gente. Solo cuando la gente esté dispuesta a escuchar la verdad, se podrá tener un debate sin hipocresía.

202 palabras

Comunicación y medios

"Un periodista recientemente escribió que la televisión y los ordenadores eran la causa de todos los problemas sociales. ¿Estás de acuerdo?"

Se debate con frecuencia en estos días si la televisión y los ordenadores son la causa de todos los problemas en la sociedad pero yo no comparto en absoluto esta idea.

Es verdad que hay jóvenes que solo ven la televisión y juegan videojuegos violentos y que luego tienen problemas sociales, sufren de obesidad o se involucran en actividades criminales. Pero es demasiado fácil echar la culpa a estos medios porque, en mi opinión, la familia, el entorno social y la educación ejercen una influencia mucho más profunda en los jóvenes.

Creo que el periodista que escribió esa frase ignora un hecho importante y es que la televisión proporciona una gran cantidad de programas educativos. Y si eso fuera poco, Internet ha revolucionado la manera en que nos comunicamos hoy en día. Si comparamos la situación en países como China, donde el gobierno controla los medios de comunicación, nos daríamos cuenta de lo afortunados que somos en el mundo occidental.

En fin, es imprescindible que nos demos cuenta de que, lejos de ser la causa de los problemas sociales, estos medios podrían ser la solución.

185 palabras

Further Reading for HL

In Spanish, one of the most well known philosophers and essayists is **José Ortega y Gasset** (Spain, 1883-1955) who famously said *"Nuestras convicciones más arraigadas, más indubitables, son las más sospechosas. Ellas constituyen nuestro límite, nuestros confines, nuestra prisión."*

More contemporary essayists and social commentarists include **Carlos Monsiváis** (Mexico), **Eduardo Galeano** (Uruguay) and **Ricardo Forster** (Argentina; try http://www.epcomunicacion.com.ar/blog/entrevista-con-ricardo-forster/). Their writing can be long and complex but perhaps you might attempt it if you are applying for Spanish at university.

More accesible is **Quim Monzó** who writes regularly in La Vanguardia online (http://www.lavanguardia.com/). Search "Quim Monzó" (watch out for articles written in Catalan!) If you are on La Vanguardia online, make sure you click on the **Opinión** tab and then **Temas de Debate**, for exam style questions followed by two essays – one for and one against the issue.

It is worth reading *Cartas al director* to get a flavour for Spanish argumentative style: El País online

(http://www.elpais.com/) has great examples of *Cartas al director*, all with a strict word limit – click on the *Opinión* tab, then *Cartas al director*, or go via the tab *Más temas* and find *Cartas al director* in the alphabetical list. You can also search on El País for short articles (*artículos de opinión, editoriales*) by **Rosa Montero**.

If understanding how to be concise is your problem, then why not start by reading some good examples of short essays in English, just to get your mind working in this way? Robert Rowland Smith's philosophical dilemmas column *To be or not to be* in the Sunday Times Magazine is a great example of a 250 word Reasoned Argument (www.robertrowlandsmith.com).

Chapter 3   Written Assignment

SL Written Assignment

The SL Written Assignment (*Trabajo escrito*) is a test of your combined Receptive & Productive written skills, as it involves reading and writing. You will read **3 texts interrelated by topic** and produce a piece of writing of **300-400 words, plus a 100 word rationale**, based on them. The texts will be about one of the **Core Topics: *Relaciones sociales, Cuestiones globales, Comunicación y medios***. The WA takes place in the second year, takes **3-4 hours**, is externally marked and counts for **20% of your final grade**.

What exactly do I have to do?
You will have to read 3 unseen texts and then devise your own task and title based on the information in them. You have to choose one of the Text Types from Paper 2 (it *can* be the same as one of the 3 texts), so you could produce a text in any of these formats:

1. **Folleto, hoja informativa, folleto informativo, panfleto, anuncio**
2. **Conjunto de instrucciones / directrices**
3. **Blog / entrada en un diario personal**
4. **Correspondencia**
5. **Artículo (de opinión)**
6. **Crónica de noticias**
7. **Informe**
8. **Reseña (de libro, película, teatro)**
9. **Entrevista**
10. **Discursos, charlas y presentaciones, introducción a conferencia o debate**
11. **Ensayo**

Example: Cuestiones globales: la actitud de los españoles hacía el reciclaje

Texto 1:
Artículo
sobre una nueva iniciativa en Barcelona

Texto 2:
Directrices
10 consejos sobre cómo reciclar

Texto 3:
Informe
estadísticas sobre el reciclaje en España

Mi tarea:
Discurso
animando a los estudiantes en mi colegio a reciclar, con el título:
"¡Vamos a reciclar!"

+

Fundamentación:
por qué he decidido escribir un **discurso** con el proposito de **animar** a los alumnos

Assessment criteria for SL Written Assignment explained

Criteria A   Language (Lengua)   / 8

Note that the criteria is the same as for Paper 2, except with the top band cut off. Aim to use a variety of vocabulary and correct structures. The type of vocabulary you use should be related to the topic of the texts.

Criteria B   Content (Contenido)   / 10

For a high score you need to show that you make "effective use" of the texts, without copying from them, and you must use ideas from all 3 texts. Your text must be well organised. You must achieve the objectives of your rationale. If your text is disorganised, shows quite a basic or superficial use of the texts, or does not match your rationale, you will get a low score.

Criteria C   Format (Formato)   / 4

As with Paper 2, the format must be recognisable, appropriate and convincing, including use of appropriate conventions, for example rhetorical devices, style, register, etc. See Chapter 2 for more guidance.

Criteria D   Rationale (Fundamentación)   / 3

Your rationale must be clear, convincing and directly related to the sources.

Are the texts set by the IBO and what sort of texts will they be?
The texts are not set by the IBO. Your teacher will choose the texts and they can come from printed or online sources. They will be on one of the Core Topics but you should not know which topic exactly until you start, and you will not have seen them before. Each text should be about 300-400 words and it is better if they are different Text Types. If you have a large class, your teacher may need to find more than one set of texts. Don't worry if you know people in other schools who have different, harder or easier texts.

Will the examiner have read the texts?
Your teacher will send copies of the texts to the examiner along with your written assignment so that they can evaluate your use of the texts.

Do I have to quote from the texts?
No, and you should not copy whole sentences either. However, you have to show "effective use" of the sources, and you can do this by including ideas and vocabulary from the texts. To ensure you do this, it's a good idea to highlight the bits of the texts you want to include. This way you can see how many details you are using, and if you are using all 3 texts equally.

What is the rationale?

You have to write a rationale (100 words in Spanish) explaining what you have done and justifying why. You should make clear reference to your use of the 3 texts. While you should have a clear rationale in your head before you start writing, you can write it afterwards as, although it is only worth 3 marks in itself, your 10 content marks are based specifically on whether you achieve the aims you set for yourself in your rationale, so if your task and your rationale don't match, you lose marks in both criteria.

What will the exam conditions be?

You have **3-4 hours** to write your final piece, under **teacher supervision**. This includes reading the texts, designing the task, drafting and writing out the final version as well as the rationale. You can do it in one sitting or in several sittings.* You must agree your choice of task with your teacher but, once you start, you cannot ask for help. Finally, it should be handwritten.

*If you do it over several sittings, your work must remain in class between sessions and you must not choose a similar task to anyone else in your group (you can choose the same Text Type but not the same fundamental idea). But it is more difficult for your teacher to ensure you don't cheat or try to get an advantage over others between sessions. If you do it in one sitting, you will not be able to discuss your idea with anyone else, and so do not need to worry about choosing a very similar task to someone else. It is therefore recommended to do it in one sitting.

What reference material can I use?

On the day, you may use **the 3 texts, a dictionary** (bilingual or monolingual but *not* online), the relevant sections of the Language B Guide (eg the **WA instructions**, the **assessment criteria**, the **list of Text Types**) and **guidelines** on how to write the particular Text Type you have chosen.

Model SL Written Assignment: las redes sociales de Internet

Next you will find 3 interrelated texts on the Core Topic of *Comunicación y medios: las redes sociales de Internet*. Afterwards I suggest a variety of appropriate tasks that you could design, based on the texts. To give you the clearest idea of what the finished product could look like, two of the ideas have been developed into full **model answers** – a blog and a formal email – complete with **rationales**. You will see that **the 3 texts have been highlighted in yellow and blue**; the yellow bits have been used to feed into the blog, while the blue bits feed into the formal email. This is to **illustrate what is meant by "effective use" of the texts**, and to show you that there is always a variety of possible interpretations of the texts.

Texto 1: Informe

Estudiantes y jóvenes profesionales no pueden vivir sin Internet

15/12/2011

Escrito por Meili Luque, Comunicación Unificada

Inevitablemente desde que conocemos Internet, lo hemos hecho algo necesario para nuestra vida. A través de este medio nos mantenemos informados en tiempo inmediato del acontecer noticioso, conservamos relaciones de amistad y laborales, ahorramos tiempo realizando compras, entre otra cantidad de cosas.

Simplemente estamos en "El mundo conectado", ese fue el nombre que le dio Cisco a un estudio que realizó entre estudiantes y jóvenes profesionales para averiguar qué significa Internet para ellos. Los resultados son totalmente significativos, por ejemplo, el 55% de los encuestados no puede vivir sin Internet. La movilidad es otro punto principal: la laptop y los smartphones fueron catalogados como los dispositivos más importantes, con un 20% y 19% respectivamente.

En relación a las redes sociales nueve de cada diez estudiantes o jóvenes profesionales poseen una cuenta en Facebook, y es revisado por el 89%, al menos una vez al día. En cuanto a Twitter, dos de cada tres usuarios de esta red social siguen a su jefe o la cuenta corporativa. Interesante por demás es que dos de cada tres de los encuestados afirman que una oficina es innecesaria para ser productivo.

El estudio "El mundo conectado", tiene resultados sumamente atractivos e importantes, pues prácticamente los estudiantes y jóvenes profesionales no pueden vivir sin Internet. Aquí te dejamos la infografía, realizada por Cisco, con toda la información. Pero indícanos ¿Cómo calificas Internet en tu vida?

* ❖ **2/3** escogerían Internet antes que un carro.*

* ❖ **1/3** dice que Internet es tan importante como el alimento, el agua y el aire.

* ❖ **2 de cada 5** estudiantes dicen que Internet es más importante que tener citas, salir con amigos, ir de fiesta o escuchar musica. 1 de cada 4 dice que mantenerse actualizado en facebook es más importante.

* ❖ **2/3** mencionan un dispositivo móvil como la tecnología más importante en sus vidas. El 20% dice que su laptop es el dispositivo más importante; el 19% dice que su smartphone es el dispositivo más importante.

* ❖ **Solo un 4%** de los estudiantes universitarios dice que el periódico es su herramienta más importante para mantenerse informados. Solo un 6% dice que la TV es su tecnología más importante.

Meili Luque
http://www.sos.net.ve
Reproducido con permiso

* carro = coche, en América Latina

368 palabras

Texto 2: Blog

¿Dónde está Carlitos?
Autora: RaquelAD 17:59 / 29 Nov 2010   **Comentarios : 0**

Me han invitado a una cena del colegio. Me he enterado a "lo clásico": vía amiga. Ella, por supuesto, lo sabe gracias a Tuenti. Muchos esgrimen que los reencuentros con amigos de la infancia son uno de los aspectos positivos de las redes sociales. Pero si voy a la cena, ¿me reencontraré con Carlitos?

Lleva perilla y lentillas, es un chico atractivo, viste a la última moda. ¿Es Carlitos? No, ya no. Ahora se llama Carlos. ¿De verdad es un reencuentro con los amigos de la infancia? Claro, yo también dejé de ser Raquelita hace mucho tiempo. En *Los ángeles no tienen Facebook* ya trato este tema. Las personas cambiamos, así que reencontrarnos con amigos o conocidos de la infancia no es más que *re*-conocerse. Somos personas totalmente diferentes. Poco queda de aquel niño de pantalones cortos que tan bien jugaba al fútbol. Hoy es informático. ¿Compartimos algo pasados tantos años? ¿Cuál es la diferencia, pues, entre volver a conocer a un compañero del colegio a conocer a una persona nueva en un bar?

En este tipo de encuentros fomentados por las redes sociales hay que tener mucha suerte para conseguir mantener una conversación fluida durante más de diez minutos (después de esos comentarios sobre el tiempo y las respuestas a "¿qué tal tu hermano?" y "¿mantienes el contacto con alguien del colegio?"). Después de estos encuentros del pasado, pocos vuelven a retomar viejas amistades. No nos engañemos. Por mucho que las redes sociales pretendan anclarnos en el pasado (preguntándonos en qué colegio estudiamos cuando nos registramos), las relaciones finalizan y la mayoría de las veces no tiene sentido alargarlas. Yo también soy nostálgica y me vienen a la memoria buenos recuerdos cuando contemplo el patio de mi colegio. Pero no podemos crearnos falsas quimeras ni estirar artificialmente las relaciones personales que murieron hace tiempo.

Por otro lado, en estos grupos escolares puede darse que alguien no quiera desempolvar ciertas cosas del pasado. A lo mejor Carlitos no quiere que le recuerden como aquel niño que se meaba día sí día también en clase. Quienes lo pasaron mal en el colegio no querrán que se lo recuerden, así que procurarán no aparecer en estas listas de reencuentros… a no ser que les quede una espinita de venganza y quieran demostrar lo bien que les ha ido.

En cualquier caso, sí que es un punto positivo que las redes sociales supongan un encuentro entre personas en la esfera real. Lo que carece de sentido totalmente es que se creen nuevas relaciones mantenidas únicamente a través de Internet, porque entonces estamos atrofiando el espíritu social del ser humano y perdiendo nuestras capacidades comunicativas.

Si llega un día en el que las personas se comunican sólo vía red social, entonces esta denominación estará equivocada. Ese día habrá que renombrarlas como redes virtuales.

Raquel Andrés Durà
http://www.losangelesnotienenfacebook.com
Reproducido con permiso

482 palabras

Texto 3: Entrevista

Entrevista sobre jóvenes y Redes sociales

De: ADMIN / *Publicado: 24 MARZO 2011*

Últimamente me está resultando un poco difícil concentrarme para escribir un texto que merezca la pena publicar. Están sucediendo tantas cosas importantes en el mundo que cuesta centrarme en otros temas y, por otro lado, tratarlas desde una perspectiva de "redes sociales" resulta muy complejo. No obstante, de vez en cuando las preguntas de periodistas y estudiantes me sirven para ordenar las ideas sobre las que voy trabajando. Aquí está la transcripción de unas preguntas que me hicieron desde la agencia EFE:

¿Por qué son tan atractivas las redes sociales para los jóvenes y qué encuentran en ellas?
Los servicios de redes sociales ofrecen un sistema de comunicación a distancia más intensivo que el teléfono, que les permite estar conectados con sus amigos y compañeros de forma abierta y sincrónica. Las redes sociales ofrecen la ilusión de que se comparte un espacio (digitial) en el que interactúan y se relacionan como extensión a sus contactos en persona.

¿Cómo influyen las redes sociales en los jóvenes y en la sociedad en general?
La necesidad de crear un perfil implica una 'cosificación' de la persona, es decir, que la complejidad de una persona se reduce a una foto, una descripción, gustos, etc. Así, en cierto sentido tratamos con 'perfiles' en lugar de con 'personas'. Es algo parecido a lo que sucede cuando en recursos humanos revisan currículos, pero trasladado a las relaciones personales. Por lo demás, la comunicación en entornos digitales implica la mediación de textos, fotos, etc. Es decir, la persona tiene que 'crear' contenidos para comunicarse, no vale simplemente con estar allí como sucede en las reuniones presenciales.

¿Qué problemas se derivan de las redes sociales?
El problema principal es que el tiempo es limitado, de modo que cuanto más tiempo pasemos en ellas, menos dedicaremos a relacionarnos en persona o menos necesidad sentiremos de hacerlo. Entre los jóvenes, se dice que sólo usan las RSI* en horarios en los que no pueden reunirse (p.e. por la noche, etc.), sin embargo, el hecho de tener esta posibilidad virtual reduce la presión/necesidad que se siente para salir y relacionarse. Así que aunque las RSI abren nuevas y atractivas posibilidades, como buscar a gente que tenga tus mismos gustos, permitir que se relacione gente con dificultades o aumentar la autoestima, también desincentiva el contacto más personal y directo. Además, también 'educan' a la gente que las utiliza (sean adultos o jóvenes) en una forma determinada de relacionarse, que como hemos dicho tiene aspectos positivos y negativos, pero que se trata de algo sobre lo que es necesario reflexionar, en vez de aceptar de forma acrítica las nuevas formas de relacionarse en los servicios de redes sociales.

Javier De Rivera
http://www.sociologiayredessociales.com
Reproducido con permiso

*RSI = redes sociales de Internet

457 palabras

Possible tasks for model SL Written Assignment

Directrices

Decides escribir un decálogo llamado "10 maneras de saber si no puedes vivir sin Internet" para la revista de tu colegio. Para cada punto incluirás un consejo. El registro será informal y lúdico / gracioso.

Entrada en un diario personal

Eres un joven profesional que no tiene perfil en una red social. En tu diario, reflexionas si deberías conectarte: ¿qué estás perdiendo al no estar en Facebook?

Correspondencia informal

Has asistido a una reunión de tu escuela anunciada en Facebook y has vuelto a conocer a amigos de la infancia. Cuando llegas a casa, decides escribir un correo electrónico a tu mejor amigo/a contándole la experiencia.

1. **Folleto, hoja informativa, folleto informativo, panfleto, anuncio**
2. **Conjunto de instrucciones / directrices**
3. **Blog / entrada en un diario personal**
4. **Correspondencia**
5. **Artículo (de opinión)**
6. **Crónica de noticias**
7. **Informe**
8. **Reseña (de libro, película, teatro)**
9. **Entrevista**
10. **Discursos, charlas y presentaciones, introducción a conferencia o debate**
11. **Ensayo**

Correspondencia formal

Dado que Internet ha cambiado las formas de comunicar y trabajar de los estudiantes, decides escribir un correo electrónico al director del colegio pidiendo más instalaciones informáticas y un cambio en las normas en cuanto al uso de redes sociales en el colegio.

Artículo (de opinión)

Las redes sociales: ¿estamos perdiendo nuestras capacidades comunicativas?

Discurso

Han prohibido el uso de redes sociales en tu colegio. Pronuncias un discurso para los profesores, para persuadirles que las redes sociales son un elemento fundamental en la vida actual.

Blog

Decides pasar dos semanas sin redes sociales. Describe en tu blog la experiencia y cómo lograste adaptarte.

Ensayo

Las redes sociales: ¿somos perfiles o personas?

Respuesta modelo 1: Blog

Fundamentación:

Los tres textos hacen hincapié en cómo las redes sociales dominan la vida y la comunicación de los jóvenes. Para poner a prueba los datos del Texto 1, decidí imaginar las consecuencias de vivir sin Facebook por dos semanas. El Texto 2 me dio ideas sobre las amistades verdaderas y falsas que se crean en Facebook y la importancia que se da a mantener viejas amistades. Usé el Texto 3 para indagar en los motivos psicológicos de estar conectados. Decidí describir la experiencia en un blog porque es apropiado para el tema y porque es una forma gratuita de llegar al máximo número de personas.

105 palabras

Tarea:

http://lavidademaria.blogspot.com	()	→	×

Día 14 sin redes sociales

11 de junio I 21:30

¿Cómo me han ido las dos semanas sin Facebook? Si no se acuerdan de por qué lo he hecho, fue porque leí que el 55% de los estudiantes no puede vivir sin Internet y me preguntaba, ¿yo soy así? Y no solo eso: 1 de cada 4 jóvenes dice que mantenerse actualizado en Facebook es más importante que ir de fiesta. Con horror, ¡me di cuenta de que era verdad! Por eso, quería saber como sería vivir sin Facebook durante dos semanas. Mis amigos pensaron que sería imposible: "será como no comer o no poder respirar!" dijeron.

Los primeros días, me moría de ganas de mirar Facebook para ver si tenía una notificación o si alguien me había enviado un mensaje. Pero al cuarto día, empecé a acostumbrarme. Llamé a un amigo para hablar, en vez de mandarle tonterías y enlaces a videos estúpidos. Fuimos a tomar café y me sentía más nerviosa, creo que mi perfil en Facebook es una versión más extrovertida de mí. Hablamos cara a cara y me di cuenta de que antes le veía como un perfil y no como a una persona, solo le conocía a través de sus fotos y de sus "gustos". Luego empecé a reflexionar acerca de algunas de las otras relaciones que tengo en Facebook. ¿Por qué soy "amiga" de Carlos o Laura? Todos hemos cambiado y no tenemos nada en común. Estaba engañándome y he decidido que voy a quitarles de mi lista de amigos.

Al sexto día me sentía liberada. Antes revisaba mi perfil por lo menos 5 veces al día, perdía horas mirando fotos de amigos y como eso satisfacía mi curiosidad, no sentía la presión de salir y relacionarme con ellos. Sin la tentación de revisar mi perfil, terminé mi trabajo de la universidad más rápido y tenía más tiempo libre. ¡El problema era que sin Facebook no sabía cómo ocupar mi tiempo!

La verdad es que me ha devuelto un poco de perspectiva en la vida. Hay cosas más importantes que actualizar el "estatus" todos los días, o comentar en las fotos de los demás. Ha sido un reto interesante y animaría a todos a hacerlo. Mientras tanto, esta noche, ¡voy a a ir a una fiesta!

Comentarios: 1

Ricardomexicano dice:

¡Órale* María! Estoy de acuerdo. El sábado pasado fui a una reunión del cole y después de preguntarnos por el hermano o si todavía conocíamos a tal persona, no teníamos nada que decirnos....

*órale = exclamación mexicana que significa "¡Qué bien!"

419 palabras   **Basado en un texto original de Maria**

Respuesta modelo 2: Correo electrónico formal

Fundamentación:

En mi opinión, la idea principal de los tres textos es que Internet ha cambiado la vida y que tenemos que adaptarnos. Es imposible volver al pasado, pero los colegios todavía son tradicionales y las RSI suelen estar prohibidas. Por eso, quería escribir un correo electrónico (¡no una carta tradicional!) con registro formal, al director del colegio para convencerle de los beneficios de Internet y las RSI. Utilicé información y vocabulario de los tres textos para justificar mis propuestas, por ejemplo, estadísticas del Texto 1, la idea de reuniones del Texto 2 y ejemplos del mundo laboral del Texto 3.

100 palabras

Tarea:

✉ **mensaje nuevo**

a: juanrodriguez@sanjeronimo.edu.net	responder ✎
de: benitojuarez@gmail.com	reenviar ⇶
re: propuesta para más ordenadores	borrar ✗
fecha: 25 de mayo 2012 15:23	

Estimado Señor Rodríguez:

Le escribo para comunicarle los resultados de la encuesta sobre Internet. En primer lugar, el 85% de los estudiantes dice que no tenemos suficientes ordenadores para trabajar eficazmente. En segundo lugar, queremos usar las redes sociales durante las horas escolares.

2 de cada 3 estudiantes dicen que el dispositivo móvil es la tecnología más importante en sus vidas, sea un laptop o un smartphone, y están acostumbrados a la movilidad, pero en las clases están prohibidos y solo hay un ordenador por clase. Es ridículo porque no refleja la realidad. Además, el colegio gasta mucho dinero cada mes en periódicos pero solo el 4% de los estudiantes los leen; por lo tanto, deberíamos ahorrar ese dinero.

Las redes sociales son la manera más popular para comunicarse: 9 de cada 10 estudiantes tienen cuenta en Facebook. Es importante que los jóvenes se acostumbren a crear perfiles personales porque en el mundo laboral, si queremos los puestos más competitivos, vamos a tener que crear un buen currículum y convencer a recursos humanos. Las redes sociales también ofrecen un sistema abierto y sincrónico de comunicar con varias personas al mismo tiempo, lo que es una preparación ideal para las videoconferencias internacionales.

Creemos que usar las redes sociales complementa las relaciones en la esfera real y podría mejorar la experiencia educativa. Por ejemplo, si las clases formaran grupos, podrían hacer preguntas o compartir ideas fuera de clase, lo que ayudaría con los deberes. No solo eso sino que las redes sociales pueden ayudar a los estudiantes tímidos y aislados, ya que pueden encontrar a gente con los mismos gustos y formar "grupos sociales".

Finalmente, sería una buena idea crear una página en Facebook para el colegio San Jerónimo y una cuenta en Twitter, porque así, los alumnos podrían seguir las noticias del colegio, reencontrarse con amigos de la infancia y organizar reuniones.

Internet se ha vuelto necesario para nuestra vida y el colegio tiene que modernizarse para preparar a los jóvenes para el mundo laboral del siglo 21.Un estudio de Cisco afirma que dos de cada tres jóvenes profesionales consideran que no hay que trabajar en una oficina para ser productivos. Hay que preguntarse: ¿cómo será en 5 o 10 años? Por eso, queremos tener más acceso a los ordenadores y a las redes sociales en el colegio.

Un saludo respetuoso,
Benito Juarez, Clase 8D
408 palabras

HL Written Assignment

The HL Written Assignment is a test of your combined Receptive & Productive written skills, as it involves reading and writing. During the course, you must read **two works of literature**, which could include novels, plays, a collection of short stories or a collection of poetry. Based on one of these two works, you will do a piece of creative writing, of your choice, of **500-600 words plus a 150 word rationale**. The Written Assignment takes place in the second year, takes **3-4 hours**, is externally marked and counts for **20% of your final grade**. In this chapter I aim to give you plenty of ideas for your Written Assignment based on a text you might be studying, *Como agua para chocolate* by Laura Esquivel.

Why should we study literature?

At HL, exposure to literature should form an integral part of your course as it enables you to develop your appreciation of Spanish speaking countries, their histories and cultures, as well as develop your range of vocabulary and idioms, your notions of style and rhetorical devices, and your ability to be creative with the language yourself. The Spanish B Written Assignment is not like your World Lit assignment. Rest assured that you will not be expected to critically analyse the texts using academic terminology or be assessed on your knowledge of any particular text or author. On your Spanish B course, the point of reading literature is purely for pleasure and to encourage you to develop deeper intercultural understanding.

Are there any set texts?

There are no set texts for the IB Spanish B programme. Your teacher will choose the texts depending on their interests and on the ability of the group. Don't worry if you know people at other schools doing different, harder or easier books, or that the examiner may or may not have read the book. Because there are no set texts, you have a certain degree of freedom to make the task as easy or as complex as you like, but naturally I would encourage you to embrace the potential of the task, to be imaginative and to produce the best piece of work you can, without getting too stressed out about it. You will find a list of recommended texts at the end of this chapter, though your teacher may have chosen something completely different, which is fine.

What if the examiner has not read my work of literature?

Your teacher will be submitting a cover sheet with details about the book, but it really doesn't matter if they have not actually read it. An experienced examiner will be able to tell the difference between a profound connection with a text and a superficial response, even if they are not familiar with it.

So what exactly do I have to do?

You will choose one of the two texts and do a piece of creative writing based on it. You have to choose one of the Text Types from Paper 2 and design your own title. So you could produce a text in any of these formats:

1. **Folleto, hoja informativa, folleto informativo, panfleto, anuncio**
2. **Conjunto de instrucciones / directrices**
3. **Blog / entrada en un diario personal**
4. **Correspondencia**
5. **Artículo (de opinión)**
6. **Crónica de noticias**
7. **Informe**
8. **Reseña (de libro, película, teatro)**
9. **Entrevista**
10. **Discursos, charlas y presentaciones, introducción a conferencia o debate**
11. **Propuesta**

Think carefully about the merits of each Text Type. If you want to be imaginative and get inside the head of a character, then of course a diary entry or an informal letter would be good options. A blog? All but the most contemporary texts are pre-Internet so you would have to be extra creative to do a convincing blog, perhaps transposing things to the present day. A 500 word brochure might be a bit difficult, but then again, you could do a reader's tourist guide to the city in which the story is set, highlighting all the important locations; but be careful not to make your text too descriptive. You could write a speech if there is an event in the book that would be a good setting, eg. a wedding or a funeral. A book review or a film review of an adaptation would be a good idea, but remember, the aim is to be creative, not to engage in literary analysis. You could interview any of the characters or even the author, or write an article about a dramatic event in the story, eg. a death, and take witness statements from various characters about it. How about writing a letter from one of the characters to the author, asking him to change what happens to you? Although not in the list of Text Types, you can also write an alternative ending or an extra chapter / scene.

Do I have to quote from the text?

No, and you shouldn't copy phrases from the text either. However, you do have to show "connection" with the text and you can do this by choosing a particular event in the book to develop; by making reference to other events or characters; by adopting the personality and language of a character; or by showing your understanding of cultural, social or historical events relevant to the story.

What is the rationale?

You have to write a rationale (150 words in Spanish) explaining what you have done and justifying why. You should make clear reference to the work of literature but should not give a plot summary. While you should have a clear rationale in your head before you start writing, you can actually write it afterwards as you want to make sure that your task and rationale match.

What will the exam conditions be?

You have **3-4 hours** to write your final piece, under **teacher supervision**. You can do it in one sitting or in several sittings, but if you do this, your work must remain in class in between sessions. Of course there is nothing to stop you thinking about what you are going to do at any point while you are reading the book, so on the day of writing the assignment, you should already know exactly what you are going to do. You must agree your choice of task with your teacher but, once you start, you cannot ask for help. Finally, it should be handwritten.

What reference material can I use?

On the day, you may use a **clean (unannotated) copy of the text, a dictionary** (bilingual or monolingual but *not* online), the relevant sections of the Language B Guide (eg the **WA instructions**, the **assessment criteria**, the **list of Text Types**) and **guidelines** on how to write the particular Text Type you have chosen. You may not bring in a draft or notes of any kind.

Assessment criteria for HL Written Assignment explained

Criteria A   Language (Lengua)   / 8

Note that the criteria is the same as for Paper 2, except with the top band cut off. You must aim to use a wide range of vocabulary and the correct use of complex structures. The type of vocabulary you use should be close to the actual literary work.

Criteria B   Content (Contenido)   / 10

For a high score you need to show good "connection" with the work of literature and your text needs to be well organised. If your text is superficial, disorganised, ideas are under-developed or you show quite a basic interpretation of the text, you will get a low score.

Criteria C   Format (Formato)   / 4

As with Paper 2, the format must be recognisable, appropriate and convincing, including the use of appropriate conventions, for example rhetorical devices, style, register etc. See Chapter 2 for further guidance.

Criteria D   Rationale (Fundamentación)   / 3

Your rationale must be clear, relevant and directly related to the work of literature.

Model HL Written Assignment: *Como agua para chocolate* by Laura Esquivel (Mexico, 1989)

Como Agua Para Chocolate is one of the most popular texts studied on the IB programme as it is linguistically accessible to HL students and offers a multitude of possibilities for your Written Assignment in terms of Text Type, themes and character perspective. Set on a ranch during the Mexican Revolution, it is broken up into monthly chapters centered around a recipe and explores themes of love, repression, gender roles, and racism.

First, choose a character or characters that you can get into the head of. Of course you can do the main character, but think how many *Diarios de Tita* the examiner is going to read! Wouldn't it be more interesting to explore one of the secondary characters? Try to convey the character's personality: explore Rosaura's jealousy and physical embarrassment; delve into Mamá Elena's repressed passion and sense of pride; unearth Gertrudis' sense of liberation in joining the real-life ranks of female soldiers in the Revolution; convey Pedro's foolish selfishness yet respectful manner of speech. Next, think about what Text Type you want to use and what features you will need to include (see Chapter 2). Consider the themes you want to explore further. Do some background reading on the author and the historical period.

Possible tasks for model HL Written Assignment

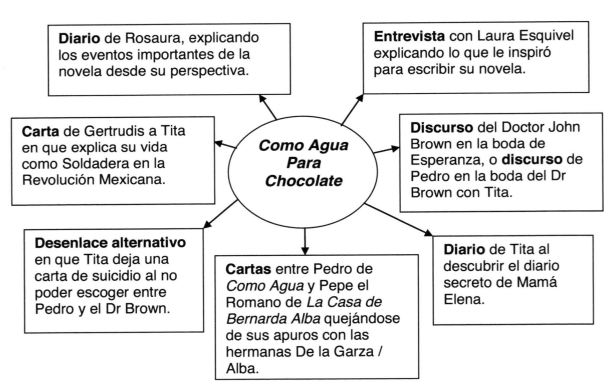

Next, you will find that two of these ideas have been developed into full model answers, complete with rationales, (NB: you are not expected to footnote your WA!) Don't read them if you think it will stop you from thinking of something original, but do read them if you keep going back to obvious ideas and need some inspiration.

Respuesta modelo 1: Desenlace alternativo al capítulo VII en que Tita encuentra el diario de Mamá Elena

Fundamentación:

Elegí escribir el diario de Mamá Elena, dentro de un desenlace alternativo al capítulo VII, porque se le suele echar la culpa de la situación de Tita cuando en realidad ella también es víctima de la sociedad de la época. Quería explorar si detrás de la fachada severa hubiera algo que explicara su actitud.

Pensé que el diario tendría más impacto si fuera leído por Tita porque es la que más sufre a manos de Mamá Elena pero también es la que más compasión sentiría si conociera la verdad. Dado que acaba de pasar otra estancia difícil en el rancho cuidándola y sufriendo sus reproches, quise darle una oportunidad de reconciliarse, al menos en su cabeza, con su madre.

El diario está escrito en primera persona, pero en las partes narrativas, intenté adoptar el estilo de Esquivel, utilizando vocabulario sentimental y mencionando otros episodios de la novela, por ejemplo, cuando Tita se enloquece.

153 palabras

Tita se atrevió a abrir el cofre[1] y dentro encontró un diario y unas cartas de un tal José Treviño. En ese momento palpitaba su corazón; todavía tenía miedo de que Mamá Elena irrumpiera en la habitación y la volviera a castigar[2] porque aún después de su muerte, su presencia seguía atormentándola. Pero al enterarse de la historia de amor de su madre, Tita comenzó a comprenderla. Tal vez no viera más que un destello de su verdadero carácter que había suprimido todos estos años, pero era suficiente para descubrir algo de ella que nadie más había conocido. Abrió su diario y leyó en silencio:[3]

Desde la primera mirada mi corazón inerte sintió emociones que nunca había experimentado y supe que Dios me había bendecido con el amor de este hombre.

Inhaló hondamente. Le sorprendió que Mamá Elena hubiera escrito esas palabras, que hubiera sido capaz de querer de esa forma. Que escribiera con tal emoción, pasión y deseo le parecía imposible.

¿Cómo pueden hacerme esto? Quiero a José con todo mi ser pero no me permitirán casarme con él. ¡No es justo que me hagan casarme con otro a quien apenas conozco! Me siento como esclava, no sólo por mantener la honra de mi familia sino también de esta maldita sociedad obsesionada por la decencia.

Tita reconoció en seguida toda la frustración que ella misma había sentido. Le parecía mentira que su madre hubiera estado en la misma situación, privada del derecho de casarse con el hombre que amaba. Siguió leyendo y apenas pudo creer lo que vino después:

Vamos a huir. No puedo quedarme en este pueblo. Sé que no es decente dejar a mi marido, que mi deber es sostener el hogar y no traer la desgracia, pero no puedo negar mis sentimientos por José ni fingir que sea feliz aquí. Sé que mi pueblo reprochará a José por ser mulato, sé que me llamarán una mujer de mala vida, pero no puedo permitir que me afecte lo que dicen los demás.

Exhaló largamente. ¿Cómo pudo convertirse esta mujer tan apasionada en una mujer cerrada, atrapada por las reglas sociales y leal al <u>Manual de Carreño</u>?[4] Al leer lo siguiente, todo empezó a tener sentido:

<u>José está muerto. Fue el día que íbamos a escaparnos.</u>[5] Esta noticia ha hecho pedazos mi sueño de vivir libremente con él y con <u>nuestra hija, Gertrudis.</u>[6] Me siento entumecida de frío, sabiendo que nunca más me envolverá el calor de su amor. El asesino de mi amante ha matado mi corazón, ya nunca más podré sentir nada.

Finalmente Tita lo comprendió todo: debe haberle afectado de la misma manera que cuando ella misma se volvió muda, incapaz de hablar ni de expresar ninguna emoción mientras vivía con John, debe haber destruido su alma, y en su caso, no había nadie quien la cuidara con ternura dócil y paciente, así que seguía viviendo sin sentir. Ahora entendió por qué <u>Mamá Elena se negaba a subir al palomar,</u>[7] no quería reconocer la ira y la confusión en su rostro.

Y así se dio cuenta de que su madre imponía la tradición porque sus propios padres la habían obligado a seguirla, destrozando su vida y negándole la oportunidad de ser feliz. Por una parte Tita condenaba a su madre el haberla tratado con tanta crueldad sólo porque su propia desgracia la había amargado. Por otra la invadió una fuerza renovada de no permitir que se perpetuara <u>la cruel tradición</u>[8] que habían sufrido ya suficientes generaciones de mujeres De la Garza. Se sentía poderosa; por fin había vencido a Mamá Elena y la había perdonado.

601 palabras   **basado en un texto original de Catherine**

1. The text starts towards the end of Chapter VII, when Mamá Elena has just died.

2. This refers to when Mamá Elena punished Tita for finding the box while playing hide and seek.

3. This mirrors how Tita reads Gertrudis' letter earlier in the chapter.

4. The *Manual de Carreño* is an 1853 guide to protocol and etiquette which was widely read in Latin America.

5. According to the story, José was killed the night he and Elena were going to run away.

6. In the story, Tita finds out from the letters in the box that José Treviño is Gertrudis' real father.

7. An alternative explanation of why Mamá Elena refuses to talk to Tita in the chicken coop.

8. The key reason why Tita and Pedro can't be together is because she is the youngest daughter and must, according to the "cruel tradition", look after her mother for the rest of her life.

Respuesta modelo 2: Entrevista con Laura Esquivel, la autora de *Como agua para chocolate*

Fundamentación:

Como agua para chocolate fue la primera novela de Laura Esquivel y creo que nunca hubiera imaginado que se venderían más de 4 millones de copias y que sería traducida a más de 30 idiomas. Por eso, me interesaba escribir una entrevista con la autora, para explorar su reacción al éxito de la novela y de la versión cinematográfica.

En las preguntas, intento abarcar varios temas de la novela, como la comida, las costumbres y el realismo mágico. Luego, en las respuestas, utilizo ejemplos de personajes, como Tita y Nacha y explico de dónde sacó la inspiración. Creo que la forma usted es apropiada para una entrevista formal.

Para dar contexto a la entrevista, imaginé que Mexico estaba celebrando un Festival de Cultura y busqué un periódico mexicano en el cual "publicar" mi entrevista. También, busqué información sobre su biografía, por ejemplo, lo que dice de su abuela.

148 palabras

Laura Esquivel: la mujer detrás de la escritora

Una entrevista de Lilli Lopez | www.lajornada.com.mx

Acaba de llegar a la pantalla la película de su obra más conocida y tuve la oportunidad de hablar con esta excepcional escritora durante el Festival de Cultura Mexicana sobre su propia historia detrás de su famoso cuento de recetas sensuales. Nos reunimos en la cafetería de un cine del barrio de Coyoacán, y ella llegó puntual y sonriente.

Con todo este bombo publicitario, ¿qué le parece la adaptación cinematográfica de su obra Como Agua Para Chocolate?

Para mí fue un placer ver todas mis ideas y personajes a través de los ojos de otra persona. Por supuesto, todo es muy diferente de como yo lo imaginaba, pero me gustó mucho el resultado.

Este cuento está basado en sucesos de su propia familia, ¿no?

Sí, claro. Todas mis obras contienen alguna historia de mi vida, es la fuente de mi inspiración. Por ejemplo, me encanta cocinar, y cuando cocino, <u>recuerdo mi abuela</u>,[1] los olores de su cocina, el chile, el ajo, las hierbas, y quería comunicar esto en el personaje de Tita. Pero mi madre no era como Mamá Elena, mi familia era bastante moderna.

¿Se identifica con el personaje de <u>Tita</u>?[2] ¿Tiene su determinación y su fuerza?

Muchas de las emociones que siente Tita yo también las he sentido, pero ¡ojalá tuviera la misma fuerza y capacidad de recuperación que ella!

Su libro y la película están llenos de costumbres tradicionales. Ya que estamos celebrando nuestra variedad de costumbres en este <u>Festival de Cultura Mexicana</u>,[3] ¿cuáles de esas costumbres tradicionales en su opinión siguen existiendo en México hoy en día?

Pues mucho cambió con la <u>Revolución</u>,[4] pero todavía tenemos una idea romántica de los revolucionarios como Pancho Villa. Sin duda, el gozar de la comida siempre ha formado parte de la cultura y por eso quería incluirlo en la novela. Soy de la opinión que la cocina de una región puede representar el alma de su cultura. Y la verdad es que creo que la mezcla entre las costumbres indígenas, que representa Nacha, y el modo de vida americano, ilustrado por el Dr Brown, sigue siendo muy relevante hoy en día.

¿Cuál de las recetas de Tita es su preferida?

Para mí, la receta mágica es la <u>Codorniz en salsa de pétalos de rosa</u>.[5] Quería mostrar la intensa emoción que conlleva este plato para mí, así que es gracias a este plato que Tita y Pedro comparten las sensaciones más fuertes de su amor. Me encanta cómo se filmó esa escena en la película. <u>Temía que</u> Alfonso, mi marido [y el director], <u>no pudiera</u>[6] comunicar los sentidos del olfato y el gusto por medio del cine, pero al final, estoy encantada con su obra.

Finalmente, su novela, como la obra de muchos escritores mexicanos, contiene elementos de <u>realismo mágico</u>.[7] ¿Por qué es tan importante en la cultura mexicana esta mezcla de la realidad, la imaginación y la conciencia de lo sobrenatural?

No sé si sólo es mi familia o si toda la gente mexicana es así, pero mi niñez y también mi adolescencia estaban llenas de leyendas y mitos y cuentos que me contaba mi abuela. Cuando ella murió, no quería que esa parte de mi vida desapareciera así que empecé a escribir y no tengo ganas de parar.

554 palabras   **Basado en un texto original de Lilli**

1. Try to find out more about the author as this might give you some ideas.

2. Tita is the main character so it would be logical to ask a question about her.

3. This is made up, but gives a convincing context to the interview.

4. Try to find out more about the historical background of the 1910 Revolution.

5. This recipe causes one of the most dramatic events in the story.

6. Remember to find ways to include complex structures like the imperfect subjunctive.

7. Make reference to the literary style if it's an important feature of the book.

Recommended texts for the HL Written Assignment

Novelas

- *El coronel no tiene quien le escriba*, Gabriel García Márquez (Colombia, 1961)
  Cuenta la historia de un coronel de la Guerra de los mil días que lleva toda la vida esperando su pensión. Su única forma de ingreso es su gallo.

- *Crónica de una muerte anunciada*, Gabriel García Márquez (Colombia, 1981)
  Narra la historia del asesinato de Santiago Nasar. Ya que se sabe desde el principio quién cometió el crimen, el propósito es averiguar quién es el verdadero culpable. Es una mezcla de crónica de noticia e historia policíaca.

- *Noticia de un secuestro*, Gabriel García Márquez (Colombia, 1996)
  Relato no-ficticio del secuestro de diez personas por los narcos colombianos.

- *Pedro Páramo*, Juan Rulfo (México, 1955)
  Cuenta la historia de Juan Preciado que va en busca de su padre, Pedro Páramo, gobernador corrupto del pueblo de Comala. Los muertos y los fantasmas conviven con los vivos. Cronología fragmentada, temas de corrupción, esperanza, desesperanza y venganza. Estilo realismo mágico.

- *Como agua para chocolate*, Laura Esquivel (México, 1989)
  Novela de amor y pasión, estilo realismo mágico.

- *Aura*, Carlos Fuentes (México, 1962)
  Novela surreal, cuenta la experiencia de Felipe Montero, un escritor que está enamorado de una hermosa mujer que no es quien parece. Trata temas de deseo, sexualidad, envejecimiento y memoria.

- *El túnel*, Ernesto Sabato (Argentina, 1948)
  Novela existencialista. Cuenta la historia de Juan Pablo Castel, un pintor que está psicóticamente obsesionado con María Iribarne. Trata temas de obsesión y aislamiento.

- *Cuando era puertorriqueña*, Esmeralda Santiago (Puerto Rico, 1994)
  Novela autobiográfica de una chica puertorriqueña que se muda a Nueva York.

- *Nada*, Carmen Laforet (España, 1945)
  Ubicada en Barcelona después de la Guerra civil y a principios de la dictadura de Franco. Narra las experiencias diarias de Andrea, una estudiante de 18 años, dentro de una familia complicada. Trata temas de identidad y existencialismo.

- *Sin noticias de Gurb*, Eduardo Mendoza (España, 1991)
  Novela corta y graciosa que se narra en formato del diario personal de un extraterrestre que está buscando a Gurb, otro extraterrestre que está perdido en Barcelona y que se ha convertido en una celebridad real.

- *Campos de fresas,* de Jordi Sierra i Fabra (España, 1997, versión original en catalán)
  Se trata de unos jóvenes que toman drogas hasta que uno cae en coma. Sus amigos buscan al camello que les había vendido las drogas para vengarse.

- *La sombra del viento*, Carlos Ruiz Zafón (España, 2001)
  Novela de suspense ubicada en la Barcelona de los años 40. Narra la historia de Daniel, un chico joven que investiga el misterioso autor Julian Carax.

- *Contra el Viento*, Ángeles Caso (España, 2010)
  Conmovedora historia de amistad entre dos mujeres de mundos diferentes.

Obras de teatro

- **Bodas de Sangre, Federico García Lorca (España, 1932)**
  Una novia huye de su boda con su amante, que está casado con su prima. El novio, y la sociedad, les buscan para vengarse y para limpiar el honor de la familia rechazada.

- **Yerma, Federico García Lorca (España, 1934)**
  Cuenta la historia de una mujer que se vuelve loca por su deseo de tener un hijo.

- **La Casa de Bernarda Alba, Federico García Lorca (España, 1936)**
  Cinco hermanas están de luto, encerradas en su casa. Solo Angustias tiene la posibilidad de escaparse, casándose con Pepe el Romano, pero Adela también está enamorada de él.

- **Las bicicletas son para el verano, Fernando Fernán Gómez (España, 1984)**
  Luisito es un chico que vive en Madrid durante la Guerra civil. Destacan los sufrimientos diarios de las familias normales, los cambios sociales y la pérdida de la inocencia.

- **Los árboles mueren de pie, Alejandro Casona (España, 1949)**
  Unos abuelos esperan la vuelta de su nieto, Mauricio. Cuando muere Mauricio durante el viaje de regreso, el abuelo miente a su mujer para protegerla de la verdad.

Cuentos cortos (7-10 cuentos cortos equivalen un texto literario)

- **Cuentos de Eva Luna, Isabel Allende (Chile, 1990)**
  Cuentos supuestamente contados por Eva, personaje ficticio de otra novela de Allende. Tratan el tema de la explotación económica y sexual de la mujer.

- **Doce cuentos peregrinos, Gabriel García Márquez (Colombia, 1992)**
  12 cuentos cortos, a veces surreales, que tratan el tema de ser forastero.

- **El llano en llamas, Juan Rulfo (México, 1953)**
  Cuentos que narran vidas llenas de tragedia, pobreza, problemas familiares y crimen en el México revolucionario.

- **Ficciones, Borges (Argentina, 1971)**
  Relatos imaginativos, estrafalarios, surreales y profundos.

- **Spanish Stories / Cuentos Españoles, Angel Flores (1987)**
  Con cuentos de Cervantes (España), Unamuno (España), Jorge Luis Borges (Argentina)

- **Spanish-American Short Stories / Cuentos Hispanoamericanos, Stanley Appelbaum (2005)**
  Con cuentos de Rubén Darío (Nicaragua), José Martí (Cuba), Amado Nervo (Mexico), Rómulo Gallegos (Venezuela)

Poesía (15-20 poemas equivalen un texto literario)

Aunque hay muchos poetas hispanos dignos de estudiar a nivel superior (HL), sería bastante difícil para la mayoría de estudiantes hacer el Trabajo escrito sobre poesía.

- **Antonio Machado (España, 1875 – 1939)**
- **Pablo Neruda (Chile, 1904 – 1973)**
- **Mario Benedetti (Uruguay, 1920 – 2009)**
- **Rosario Castellanos (México, 1925 – 1974)**
- **Gioconda Belli (Nicaragua, 1948 –)**

Chapter 4   Internal assessment

The oral component is worth **30%** of your overall grade so it is just as important as the reading comprehensions and writing. If you have bought this book just before your exams, then you will probably have already completed your Internal Assessment. However, if you are still in your first year, these pages will help you to prepare for this part of the course. Here is an overview of the two types of oral:

Interactive oral

- **10 marks, worth 10%**
- Based on *Temas troncales:*
  - ✧ **Relaciones sociales**
  - ✧ **Cuestiones globales**
  - ✧ **Comunicación y medios**

- Done during first and second year
- 3 group activities, one of which must be based on audio material - best mark put forward
- Does not need to be recorded
- Organised by your teacher, who can participate or just observe
- Marked by your teacher

Individual oral

- **20 marks, worth 20%**
- Based on *Temas opcionales*:
  - ✧ **Diversidad cultural**
  - ✧ **Costumbres y tradiciones**
  - ✧ **Salud**
  - ✧ **Ocio**
  - ✧ **Ciencia y tecnología**

- Done in second year (Feb/March)
- Based on an unseen photo
- Must be recorded
- Organised and conducted by your teacher
- Marked by your teacher, moderated by an examiner

Your best Interactive mark (/10) is added to your Individual mark (/20) to give you a mark out of 30. This is sent to the IB examiner, along with the recording of your Individual oral, for moderating (which means your mark could go slightly up or down).

It's not just your **productive** (speaking) skills that are being assessed here, it is also your **receptive** (listening) and **interactive** (conversational) skills. Interactive skills also refer to your ability to make intercultural connections and comparisons. In order to demonstrate competent receptive skills, it is important that Interactive Orals are organised in such a way that any audio material is sufficiently complex, and that the questions you are asked in your Individual Oral are also complex enough.

Assessment criteria for Internal assessment explained

The same criteria are used for both Interactive and Individual Orals but are worth different amounts. The wording is very similar for SL and HL but the standard is obviously higher at HL. You will be assessed on Productive skills and Receptive & Interactive skills:

Criteria A Productive skills	Interactive /5 Individual /10

Productive skills refer to your spoken expression:

- **Fluency:** how fluidly you speak, whether you hestitate or stutter. At HL, if you sound "authentic".

- **Accuracy and variety:** whether your language is varied and accurate, whether you can use idiomatic expressions. It's ok to make some mistakes as long as these don't interfere with the message you are trying to convey. At HL, whether your choice of vocabulary is precise and idiomatic.

- **Intonation:** whether your intonation helps your communication. Try to sound enthusiastic and not monotonous.

Criteria B Receptive & Interactive skills	Interactive /5 Individual /10

Receptive & Interactive skills refer to your ability to engage in a conversation:

- **Ideas:** whether you can understand spoken information and questions. Whether you can express simple and complex ideas and opinions clearly and effectively. Whether you can make intercultural connections between Hispanic culture and your own culture.

- **Conversational ability:** whether you can engage in a conversation about issues studied during the course. Whether you hesitate or pause too much before answering, whether your answers are relevant to the questions. At HL, the conversation should sound "natural".

As with all exam components, it is essential that you are familiar with the assessment criteria so that you know what is expected of you and what you need to do to access higher marks. Just ask your teacher for a copy.

In this chapter, I explain how to do well in both **Interactive and Individual orals** and, to show you exactly what I mean, I've provided you with 2 Interactive orals and 2 Individual orals to listen to online, with transcripts so that you can follow what is said. Go to:

http://www.osc-ib.com/ib-revision-guides/spanish

©KJ Pargeter * illustrationsOf.com/222067

Interactive orals

Hopefully, oral work is a regular, informal and fun feature of your Spanish lessons. But over the two years, you will need to do 3 assessed group orals (you could do more). These can take place at any time over the two year course, but you will probably get better marks in the second year. The best mark is chosen.

➤ Interactive orals can be in pairs or small groups (if you are the only person in your class, you can do them with your teacher).

➤ The format can be chosen by the teacher or the students and can include: discussions, debates, interviews and role-plays.

➤ At least one oral should be in response to audio-visual material, eg: a film clip, a song, a TV programme, or a news report.

➤ There is no specified time limit for Interactive orals so they can last anything from 5 to 30 minutes.

➤ Interactive orals can be prepared in advance or be totally spontaneous.

Tips on improving your performance in Interactive orals

Before an oral	**During an oral**
Get into the habit of joining in during lessons: don't be a wall-flower!	Make eye-contact with the others.
Do volunteer to read aloud in class to get used to hearing your own voice, and to practise your pronunciation and intonation.	Contribute actively in the conversation – don't wait to be addressed.
If you are allowed to prepare in advance, prepare your opinions and learn some specific vocabulary for the topic, and think of some questions for the others.	Equally, don't try to dominate by interrupting others. Let others speak, listen to what they say, and respond accordingly. You'll all get better marks if you support each other.
Orals are called Interactive because you are interacting with others – this means listening as well as speaking. So practise your listening by:	Pay attention to register: if you are all just being yourselves and having a discussion, use *tú*, but if you are playing roles eg: journalists, politicians, use *usted*.
✓ tuning in to Spanish radio live streaming on the Internet. Try: http://www.rtve.es/radio/radio3/ ✓ downloading Spanish podcasts ✓ watching Spanish/Latin American movies.	Think about the criteria: are you varying your tenses? Are you making an effort with intonation? Are your ideas reasonably complex? Keep an eye on the time and round up the conversation appropriately.

Useful expressions for Interactive orals

cómo dar tu opinión

creo que / pienso que / en mi opinión...

me parece que / supongo que...

a mi modo de ver / yo diría que...

bueno, pues, yo creo que ...

vamos a ver...

por una parte... pero por otra...

además...

por ejemplo...

o sea... / es decir...

no cabe duda (de) que / sin lugar a dudas

cómo expresar desacuerdo

no estoy de acuerdo...

eso no es verdad...

no entiendo tu/su actitud...

perdona/e que te/le interrumpa pero...

en absoluto...

dudo que sea así...

no creo que + subjuntivo

es todo lo contrario...

¡qué va!

esto no se puede decir

cómo participar en la conversación

perdona / perdone...

¿puedo decir algo?

¿puedo continuar?

¿puedo hacerte(le) una pregunta?

lo que quiero decir es que...

sí, pero mira/mire... por supuesto, pero...

eso sí, pero es posible que...

espera, espera...déjame explicar
espere, espere...déjeme explicar

cómo invitar a otros a participar

¡adelante!

¿qué decías? / ¿qué decía usted?

¿y tú, qué opinas? / ¿y usted, qué opina?

¿estás de acuerdo? / ¿está usted de acuerdo?

¿no crees que...? / ¿no cree usted que...?

sí, tienes razón / sí, tiene usted razón

¿puedes repetir lo que has dicho? / ¿puede usted repetir lo que ha dicho?

me interesa tu / su opinión

Ideas for Interactive orals

Relaciones sociales

A debate about a controversial aspect of Hispanic culture, eg: *"¿Se debería legalizar la adopción por parejas homosexuales?"*

A presentation on an aspect of Hispanic culture followed by questions from the rest of the class, eg: *"Real Madrid vs Barça ¿política o deporte?"*

Cuestiones Globales

A group problem solving task on the environment, eg: *"Ustedes trabajan en el Ministerio de Agricultura, Alimentación y Medio Ambiente y tienen un presupuesto de 100.000 euros para financiar un nuevo proyecto sostenible. Hay tres propuestas, ¿cuál eligen y por qué?"*

A debate or discussion about a controversial issue presented in a Hispanic film, eg: *"El narcotráfico en Colombia: ¿por qué se hace mula la protagonista de María Llena de Gracia?"*

A discussion after listening to a recent news report, eg: *"Cómo debería reaccionar España ante la crisis económica de Europa?"*

Comunicación y medios

A discussion about an article read in class, eg: *"La censura y los medios"*

A role-play or radio-style debate between two 'experts', eg: *"¿Sigue vigente el machismo en la publicidad española?"*

Example interactive oral 1: El medio ambiente (10 minutes)

This oral, on what we could do to help the environment, is between an HL and SL student. They introduce it themselves and have to keep the conversation going with no teacher input. **Listen online at http://www.osc-ib.com/ib-revision-guides/spanish**.

> **Key:**
> .... = not quite right
> ⁄ = *suggested correction*
> a̶b̶c̶ = shouldn't be there
> (...) = something is missing

Sarah: Oral interactivo sobre el medio ambiente con Sarah Wood y Hiba Saleem. La fecha es catorce de febrero. Vale...

Hiba: 2011. Vale... Sarah, ¿te preocupas por los problemas medio ambientales de la tierra, en este mundo en que vivimos?

¡Claro que sí! ...porque acabo de ver "*Una verdad inconveniente*" por Al Gore y es una película muy interesante y muy chocante... así que ahora me preocupé mucho del medio ambiente. ¿Y tú?

⁄viendo/presenciando

Yo pienso que no hacemos tanto como pue...podemos hacer y estamos visto el deterioro del medio ambiente y si no hacemos nada... lucharamos por la supervivencia de nuestra especie.

Sí, estoy de acuerdo, y pienso que lo más importante sería de alertar...nuestros padres para que intentemos hacer más en la casa.   ⌣ *avisar a*

Sí, deberíamos hacer más en casa también, por ejemplo, pienso que deberíamos reciclar más, y normalmente... no reciclamos... nuestra... nuestra papel y nuestra ropa y es posi...es algo que podemos hacer.

Pero no solo eso sino también de no gaspillar la electricidad y apagar la luz... es muy importante.   ⌣ *desperdiciar*

⁄tomar

Sí, intentar... intentamos tener un baño con más frecuencia de la...que la ducha porque... desperdicia agua cuando me ducho y es... es mejor que tenemos que tener un baño.

(¿No debe ser al revés la idea?)

Vale, ¿qué piensas de las problemas con especies en peligro de extinción?

Pienso que hay... sí es verdad que es una gran problema porque hay muchos animales en diferentes partes del mundo que son en peligro de extinción, como...como...te dices, pero es verdad también que hay muy poco que podemos hacer para estos animales y solo intentar de hablar con otros personas sobre este tema.

No pienso que sea fácil de ayudar todos los animales en peligro de extinción porque es un trabajo demasiado grande para nosotros.

Sí, te... es... podemos decir que...que quizás es la responsabilidad del gobierno también, hay muchas organizaciones globales que trabaja... que trabajan por los animales en peligro de extinción pero... hay mucho que podemos hacer también y... la gobier... el gobierno... tenía... tiene que... el gobierno tiene una responsabilidad también.

Y pienso que nuestro gobierno solo pienses...solo piense en su misma porque no le interesa mucho el mundo global, solo piense en la sociedad aquí en España, pero debemos ayudar por todo el mundo y con todos los gobiernos.

— tú

Sí, y el gobierno de España, como te dices, solamente se preocupe con los problemas del medio ambiente en...aquí en este país pero hay muchas problemas en todo el mundo con los problemas del medio ambiente y hay... el efecto invernadero ha causado el aumento del nivel del mar, en otros países y lugares como en el norte del mundo y en el sur también y no es una problema de España pero es algo que hacemos entender y deberíamos intentar a evitar este problema también. *—sino que* *— debemos / tenemos que*

¡Sí, porque no vivimos en una burbuja!

Sí, pero ¿piensas que... O Sarah, ¿compras productos...productos de limpieza ecológicos para ayudar al... mundo?

—una santa

Sí, pero debo intentar más porque no soy un santo con el medio ambiente así que todavía hay mucho más que puedo hacer.

Sí... es verdad que estaríamos mintiendo si dijéramos que... verificamos todos los productos (*probados en*) animales... ah no... todos los productos... por limpieza ecológico pero es algo que... y es verdad que no han si... cuando compro los productos... cosméticos también no verifico si han sido prob... si han (*sido*) probado en animales pero nunca (*he*) hecho eso.

Pero en mi opinión pienso que es la responsabilidad de las compañías de cosméticos por ejemplo de verificar... las raíces de sus productos y sería... pienso que si fuera el presidente del país hacería una...un ley para que todas las compañías sean obligadas a ser más conscientes del medio ambiente y hacer más para que nosotros como... *— estuvieran*

con el —

¿Para los animales también?

— para que no tengamos

Sí...pero también como consumidores no tenemos la tentación de un producto mala...malo para el medio ambiente.

Sí, es verdad que los...las compañías deberían...deberían... las compañías debían verificar los productos y a lo mismo es verdad que hay algos productos que necesitan probar en animales pero es...es la responsabilidad de la gente también de... de... comprar productos que son más bueno para el medio ambiente y para los animales especialmente como productos del animales que llevamos como los... yo olvido el... la palabra pero los...

—mejores

¿el piel de los animales...?

Sí, hay mucha ropa con el piel de los animales que no deberíamos comprar...

Así que ¿quieres ir conmigo al gobierno para protestar y para hacer la presión?

Sí, definita... sí...es... debemos que hacer algo, y es posible que podemos ir con nuestras amigas para protestar...

— somos

¡Sí, porque estamos de la generación del cambio para el mundo!

estas *las*

Sí... obviamente tenemos que también, deberíamos que reciclar en la casa y hacer las cosas pequeñas también porque es... son estos cosas (*las*) que si lo hacemos tenemos... podemos ayudar al medio ambiente también con estos cosas pequeñas pero... por ejemplo si... por ejemplo... podemos reciclar nuestra ropa y... ir al recinte de reciclaje también.

—centro / llevarla a los contenedores

¡Vamos y cambiamos el mundo!

¡Sí!

Valoración del oral:	
SARAH – NIVEL SUPERIOR (HL) **Destrezas productivas** Su lengua es buena, su expresión es fluida y tiene un toque de autenticidad, pero su vocabulario y gramática no siempre son precisos. Su entonación mejora la comunicación. Es casi un 4.	**3/5**
Destrezas receptivas e interactivas La alumna presenta ideas y opiniones bastante complejas de manera coherente y eficaz, pero podría haber desarrollado más ideas concretas de la película que menciona al principio. Su interacción es excelente y la conversación discurre de manera natural.	**4/5**
	= 7/10
HIBA – NIVEL MEDIO (SL) **Destrezas productivas** Su lengua es buena y en la mayor parte fluida. En general, su lengua es correcta y variada y su entonación contribuye a la comunicación.	**4/5**
Destrezas receptivas e interactivas La alumna entiende bien las ideas sencillas y complejas e interactúa muy bien en la conversación. Presenta sus ideas y opiniones (por lo general sencillas) de manera coherente y eficaz.	**4/5**
	= 8/10

Example interactive oral 2: El terrorismo (11 minutes)

This oral on terrorism is between 3 HL students, and is introduced by the teacher, whose participation is minimal.

Profesora: ¡Hola chicas! Vamos a debatir el tema del terrorismo hoy. En particular, la moción: de que "lo mejor que podemos hacer para combatir el terrorismo es no intimidarnos". ¿Qué pensáis, chicas? ¿Creéis que es la verdad esa moción?

Morgan: Yo pienso que cuando se analiz*ar* las caracter*istas* de grupos de terroristas, podemos ver que es más sobre el poder que la fé, y la negocación da el poder a los terroristas y se sienten como si *tienen* control que realmente es verdad ... y en las palabras de Barack Obama, lo mejor que podemos hacer para combatir el terrorismo es no intimidarnos.

— como si + imperfecto de subjuntivo = tuvieran   — autoritario / firme

Ola: Sí, pero si vas a negociar con los terroristas, es una señal de ser *asertivo*, que quieres descubrir qué es la raíz del problema, que quieres conseguir la paz y no... no es una debilidad querer hacerlo.

— los   — un

Aphra: Sí...la razón que justifica el terrorismo es que *las* terroristas tienen *una* problema y se sienten amenazados, *y* intimidarnos va ... no va a ayudar porque... hacer más violencia no puede combatir un... un... sien...

Profesora: ¿un sentimiento?

Aphra: ...un sentimiento de amenaza.

— descomposición = desintegración

Morgan: Sí, pero hay otras maneras en las *que* podemos luchar contra el terrorismo, por ejemplo, el uso de la inteligencia, y la *decomposición* de las organizaciones terroristas, por ejemplo, lo que pasó con Osama Bin Laden y los Estados Unidos, y yo pienso que la negociación implica costos que no podemos permitirnos ... y... y pienso que no podemos tener confianza en... en lo que dicen las terroristas porque no somos en la misma...en lo mismo terreno moral.

estamos — *el*

Ola: Pero si estás justo durante las negociaciones, los terroristas no tenían...no tendrán razón por qué atacar de nuevo, mientras si... porque ellos no lo hacen para divertirse, hay razones por eso, y claro, si no consigues con lo que has prometido, ellos van a atacar, pero si hablas con juicio, no habrá problema. — *cumples*

Morgan: Sí, pero pienso que el problema es que nunca vamos a entender sus razones porque somos tan diferentes y no pienso que la negociación va a mejorar la situación porque nuestras culturas y ... morales son tan diferentes y ... ¿Aphra?

moralidad

Aphra: No estoy de acuerdo porque... todos somos animales racionales y en este mundo de tecnología y todo eso, debemos... comunicar y no podemos tener la excusa que no podemos comunicar, y negociar con ellos da ejemplo a otras situaciones en el mundo y no estoy de acuerdo que no podemos negociar.

Ola: Y también, sin hablar, no habrá ningún entendimiento entre nosotros y los terroristas, mientras si hablas la posibilidad de decidir algo, aunque pequeña, sí existe, pues es mejor intentar y fracasar que no hacer nada.

Morgan: Sí pero también, la negociación ... implica que estamos en lo mismo terreno moral como ellos, y pienso que tiene un efecto corrosivo sobre la sociedad porque le hace pensar que la violencia es la respuesta a la instabilidad política y... del conflicto... en la sociedad y no pienso que es un buen ejemplo a dar a su sociedad. — *inestabilidad*

sea — *para la* — *hipócrita*

Ola: En cuanto a lo que has dicho sobre Bin Laden, yo pienso que es hipocrítico si formas parte de la ONU, por ejemplo, que lucha por la paz en el mundo y al mismo tiempo vas a atacar a los que te atacan.

¿Puedes repetir lo que has dicho?

Morgan: Repíteme por favor. ¿Qué?

Ola: Que si formas parte de la ONU y es una organiza... organización que intenta de promover la paz y al mismo tiempo atacas a los terrorista que te han atacado y es un ciclo negativo.

tengamos que — *han habido*

Morgan: Sí, pero no pienso que necesitamos atacarlos y ... En el pasado han sido terroristas... grupos terroristas que han sido derrotados... y sí claro a veces ha sido un precio muy alto, pero pienso que debemos mantener la lucha contra la... contra sus actos de violencia porque... sí...

hemos pagado

Profesora: Es como una guerra silenciosa ¿no?

Morgan: Sí...

Ola: Pero, ¿qué vas a lograr con esto?

Aphra: Creo que la guerra silenciosa es porque si hablamos con ellos... si no hablamos con ellos apoyamos actos de violencia que están hechos en secreto, pero si hablamos no tienen una razón para hacer cosas en secreto. — *(no está muy clara la idea...)*

Ola: Y también si los terroristos consiguen atacando a tu país serás culpado por las muerte de los ciudadanos y no vas a ser muy popular que no has intentado de eliminar esto.

fueras — *por no haber*

Morgan: Sí, pero necesitamos pensar de los efectos de sus acciones y como si... Si tú piensas de cómo será si... si estarías una de las personas afectadas por un acto de terrorismo, sí podemos hablar ahora sobre lo que necesitamos hacer pero... un momento por favor... Pero no hay un respuesta racional en estas situaciones que no es... son racionales. Un acto de terrorismo no es racional y no pienso que podemos solo pensar racionalmente sobre eso.

—estaban   *—podamos*

Ola: También quería decir que en el pasado siempre ha... habían negociaciones entre países que no están de acuerdo, por ejemplo, en las guerras mundiales, lo... todo el mundo estaba dividido por lo que estaba pasando y no... nunca sería posible que todos los países y todas las culturas del todo el mundo van a ser de acuerdo, pues, tienes que negociar un poco, no puedes conseguir con ataques...   *— estuvieran*

Aphra: Sí, porque hay un ciclo de violencia y hemos visto en el pasado que si usamos violencia los otros usan violencia y todo puede aumentar y crecer y... ser más peligroso.

Profesora: Tenemos que seguir con los principios democráticos, ¿no?

Morgan: Pero a lo mismo tiempo, hemos visto en el pasado también que las negociaciones no siempre funcionan y por ejemplo, hemos visto con ETA, negociaciones con el gobierno y ETA no han...

Profesora: ¿...no han tenido éxito?

—en muchas ocasiones

Morgan: Sí... y ha sido un... en muchos veces ha sido un perdido de tiempo, y de... y sí...

— cumple con su palabra   *—iba*

Ola: Sí, pero el gobierno no siempre está justo por ejemplo cuando dijo que va a reunir todos los presos al País Vasco y no lo hizo, pues ETA tenía razón en que... en que tenía esperanza de algo y el gobierno no lo hizo.

Aphra: Sí. Y también, ¿qué crees (que) es más... mejor? ¿Usar una palabra...gastar una palabra o gastar una vida? Y es el principal del discurso.

— lo   *— debate*

Profesora: Muy bien, muy buen mensaje. Muchas gracias.

Valoración del oral:	
MORGAN – NIVEL SUPERIOR (HL) **Destrezas productivas** Su lengua es muy buena, su expresión es fluida. A veces le falta vocabulario preciso y comete errores de tiempos verbales, sobre todo subjuntivo. Su entonación mejora la comunicación pero habla muy rápido.	4/5
Destrezas receptivas e interactivas Domina la conversación e interactua con mucha espontaneidad. A veces no termina sus ideas. Presenta ideas sencillas y algunas ideas complejas de manera eficaz y ofrece ejemplos para respaldar sus opiniones. No tiene miedo de llevar la contraria.	4/5 = 8/10
OLA – NIVEL SUPERIOR (HL) **Destrezas productivas** Su lengua es muy buena y en la mayor parte variada y correcta. Utiliza vocabulario preciso. Su entonación contribuye a la comunicación.	5/5
Destrezas receptivas e interactivas Su interacción es excelente: eschucha bien y cuestiona lo que dicen las otras. Explica tanto las ideas sencillas como complejas de manera coherente y eficaz.	5/5 = 10/10
APHRA – NIVEL SUPERIOR (HL) **Destrezas productivas** Tiene muy buena entonación y no comete muchos errores, pero no dice suficiente.	3/5
Destrezas receptivas e interactivas Su interacción es bastante buena, escucha lo que dicen las otras pero participa mucho menos. Lo que dice es relevante y por lo general claro.	3/5 = 6/10

Individual oral

The Individual oral is based on the **Option topics:** *Diversidad cultural, Costumbres y tradiciones, Salud, Ocio, Ciencia y tecnología.*

Preparation time: 15 mins

SL: you will be given 2 unseen photographs related to the 2 Option topics studied. You choose 1 of the photos and prepare a 3-4 min presentation.

HL: you will be given 1 unseen photograph related to one of the 2 Option topics studied. You prepare a 3-4 min presentation.

Oral: 8-10 mins

Your teacher introduces the recording with the name and number of your school.

Then you introduce yourself and your candidate number in Spanish:
Me llamo...
Mi número de candidato del BI es...

Presentation: 3-4 mins
Describe the photo, relate it to the option topic, to Hispanic culture and to your own culture. Suggest wider issues raised by the photo.

Discussion: 5-6 mins
Your teacher will ask you questions about the photograph and about issues related to the topic.

Do I know what the photo will be about?
Of the 5 Option topics, you are expected to study 2, and a minimum of 2 subtopics each. So it is reasonable for your teacher to tell you which 2 topics, and even which 4 subtopics you could get. The photo will also have a title or caption to guide, but not limit, your interpretation of the topic.

What kind of photo will it be?
It should be an unseen colour photo which is related to Hispanic culture. There should be lots of "graphic text" which does not necessarily mean written text eg. billboards/adverts, but simply lots going on, eg: a busy/active scene or situation, with people in it.

Will the oral only be on one option topic?
Ideally, yes. But if you run out of ideas, your teacher may ask a question about the other topic you have studied, so make sure you have plenty to say!

Do all IB students get the same photo?

No, because the photo is chosen by your teacher. The same photo can be used for up to 5 different candidates, although the caption should be different each time. Don't worry if you think someone else will get a "better" picture than you; the oral is really about the Option topic and as long as you have prepared for the topic in general, the photo just acts as a starting point.

Can I bring notes into the exam?

You cannot bring notes into the preparation room but you can make notes during the preparation time (15 mins) for your presentation. These should be limited to 10 brief bullet points. Try not to write whole sentences, but a couple of key words can help you get back into rhythm if you go blank. Some people find notes distracting. Any notes you do bring in will not be sent to the examiner.

How long is the presentation?

3-4 minutes, but aim for 3 and a half. If you find it hard to speak Spanish then it may seem impossible to speak uninterrupted for 3-4 mins when you've only had 15 to prepare, so make sure you learn a winning format for it (see next page).

What else should I know about the presentation?

Make it clear which Option topic you are talking about. Describe the photo, relate it to a Hispanic context, discuss issues raised by the photo, suggest solutions, reflect on the issues. The presentation shoud not be memorised or pre-prepared; don't try to learn a presentation beforehand that has nothing to do with the picture you get!

What should I know about the discussion?

The discussion should continue to relate to the photo and move onto related areas. You want to show that you can express ideas and opinions related to the topic within the context of Hispanic culture. It should sound like a real conversation so try to be spontaneous and sound enthusiastic. HL students should be able to disagree with the examiner and defend their opinions.

What is meant by making cultural comparisons?

You should make connections between Hispanic culture and your own culture. You should point out similarities or differences between the cultures, or compare how both cultures deal with the situation presented in the photo. You can do this in the presentation and/or during the conversation, but you must do it at some point during the oral. If you don't automatically offer cultural comparisons, your teacher might specifically ask you *"¿es igual en tu cultura?"*, for example.

How can I revise for the individual oral?

Remember that the topic is on one of the 2 option topics studied in class. You don't know what the photo will look like, but you do know roughly what it will be about. Learn your vocab on the 2 topics. Work out how subtopics link up. Research some facts about the topics in a Spanish speaking country and think of comparisons you could make to your own culture. Decide what your opinions on the topic are and learn some good opinion phrases. Learn some fillers, like *pues...eh...creo que...* to help you sound natural.

How to prepare a 3-4 min presentation in 15 mins

A) Sketch out a 4-part plan: Description, Interpretation, Cultural comparison, Conclusion

B) Add specific vocabulary, time frames, opinion and subjunctive structures

C) Pre-empt the discussion questions

Descripción – 30 segundos
(describe la foto + identifica el tema)

En esta foto se ve / vemos a una mujer haciendo deporte...lleva ropa deportiva...tiene una expresión seria/pensativa/cansada...como si acabara de correr media hora...está escuchando música en su iPod...en el fondo se ve la playa...no hace mucho calor, está nublado y hace viento...hay gente practicando el surf y sentada en la arena...

Esta foto se trata del tema de la salud y en particular el tema del ejercicio físico. Me hace pensar en varios aspectos relacionados con el tema:
- los beneficios de hacer ejercicio
- lo que ocurre cuando alguien lo lleva a un extremo eg: cuando se obsesiona con el ejercicio o no hace nunca ejercicio.

Interpretación – 2 minutos
(desarolla 2 puntos principales)

En primer lugar, hay que destacar los beneficios físicos y psicológicos de hacer ejercicio: te mantiene en forma, mejora el autoestima, te ayuda a combatir el estrés, previene las enfermedades, asegura un equilibrio entre el trabajo y el tiempo libre, se puede practicar de forma individual o de forma social.

En segundo lugar, hay que explorar lo que ocurre cuando algo lo lleva a un extremo. Por una parte, si alguien pasa más de 10 horas a la semana haciendo ejercicio – en el gimnasio o donde sea – puede indicar algún trastorno psicológico. Puede que esté obsesionado con perder peso, puede que sufra de anorexia. Por otra parte, no hacer suficiente ejercicio puede resultar en sobrepeso / obesidad.

Comparación cultural
– 30 segundos (cultura hispana / tu cultura / otra cultura)

Según un estudio reciente, la tasa de obesidad infantil en España es de un 19% y se ha triplicado en los últimos 30 años. Ahora España supera a los EEUU en obesidad infantil (16%) → es chocante que haya más niños obesos en España que en los EEUU → En los EEUU, la obesidad se considera un problema más grave que las drogas y el acoso escolar → En mi cultura – soy de la India – la mayoría de la gente es vegetariana y entonces se supone que hay menos problemas con la obesidad infantil, pero no es verdad ya que allí, ser un poco gordito significa que comes bien, y entonces los padres no se preocupan hasta demasiado tarde.

Conclusión – 30 segundos
(soluciones, consecuencias, reflexiones)

En resumen, los expertos recomiendan 4 horas de ejercicio a la semana. Un dato interesante - en España la gente pasa menos de 1 hora al día haciendo ejercicio pero más de 2 horas viendo la tele. Promover el deporte desde una edad joven es una solución, pero hay que combinarlo con una dieta equilibrada / educar a toda la familia.
Las consecuencias en la sociedad de no combatir la obesidad son graves: habrá una pérdida de productividad / más gente con diabetes, lo cual será una carga económica en los hospitales.
Finalmente, hay que cuestionar si el estrés provocado por los estudios y los exámenes es responsable / si la culpa es de los ordenadores y la vida sedentaria / si las escuelas hacen lo suficiente para promover los beneficios de hacer ejercicio.

Posibles preguntas sobre el tema
- ¿Cuáles son las razones por no hacer ejercicio?
- ¿Cómo se podría promover / fomentar el ejercicio físico entre los jóvenes?
- ¿Crees que los deportistas famosos dan un buen ejemplo a los jóvenes?
- ¿Crees que la gente obesa debe pagar más para el tratamiento médico?
- ¿Es la responsabilidad de los padres / del instituto / del gobierno / del individuo?

Sample photo on topic of 'La salud'

© *Martin Garri (www.flickr.com)*

<u>**Los beneficios de hacer ejercicio físico**</u>

Sample photo on topic of 'Diversidad cultural'

Mirta Melcion

Celebrando la diversidad cultural en América Latina

Sample photo on topic of 'Costumbres y tradiciones'

Lourdes Melcion

<u>**Els Castellers: ¿construyendo una identidad regional?**</u>

Sample photo on topic of 'Ocio'

Karen Poot

Ir de fiesta: ¿el pasatiempo preferido de los jóvenes españoles?

Sample photo on topic of 'Ciencia y tecnología'

© Rob Osbourn (www.robosbourn.com)

<u>La central solar de Sanlúcar: ¿el futuro de las energías renovables?</u>

Oral exam revision tips

Make topic test cards that force you to vary your language

For each topic you have studied, make test cards with:
- specific vocabulary
- a good structure, connecting word or negative
- an impersonal verb (eg: gustar, parecer, hacer falta)
- a present subjunctive structure
- an imperfect / pluperfect / perfect subjunctive structure

Salud: la anorexia

- los trastornos alimenticios / la imagen
- no solo...sino también
- hace falta
- es imprescindible que + pres subj
- aconsejaría a cualquier persona que + imp subj

Ocio: el botellón

- pasar de algo
- aunque
- gustar
- para que + pres subj
- si no fuera por

Costumbres y tradiciones: las fiestas

- celebrar
- desde hace
- interesar
- no creo que + pres subj
- si no hubiera leído...nunca habría...

Diversidad cultural: los gitanos

- la discriminación / juzgar por las apariencias
- a pesar de
- parece que
- hasta que + pres subj
- como si + imp subj

Ciencia y tecnología: la eutanasia

- el suicidio asistido
- nunca
- me preocupa que
- nadie quiere que + pres subj
- ojalá + imp subj

Listen to people talking to each other in Spanish

Read and listen to interviews in Spanish. Interviews in print will give you lots of useful vocab and idiomatic expressions but videos of interviews will give you the best tips for spoken interaction, pronunciation and intonation. Just type in "entrevista con...(eg: Shakira / Nadal / Rajoy)" to YouTube. Watch, listen, and take notes about spoken expression.

> **Remember!!**
> **el** problema, **el** tema, **el** sistema, **el** programa, **la** foto

Learn some winning expressions of opinion

What interests me most about this issue is	*Lo que más me interesa de este tema es*
I've always been interested in	*Siempre me ha interesado*
This topic started to interest me after we studied it in class	*Este tema me empezó a interesar después de que lo estudiáramos en clase*
It really surprised me that it was such a serious problem	*Me sorprendió mucho que fuera un problema tan grave*
I never would have imagined it was like this	*Nunca hubiera imaginado que fuera así*
The government should do something	*El gobierno debería hacer algo*
It's essential that the government does something	*Es imprescindible que el gobierno haga algo*
Young people should be made aware of the risks	*Hay que concienciar / sensibilizar a los jóvenes sobre los riesgos*
I think it's been like this for a long time	*Creo que lleva mucho tiempo así*
During / Since the dictatorship	*Durante / desde la dictadura*
Nowadays it's easier	*Hoy en día es más fácil*
I've been following this story	*He estado siguiendo esta historia*
I think the media is creating panic	*Creo que los medios están creando pánico*
What I don't understand is	*Lo que no entiendo es que*
Without a shadow of a doubt	*Sin lugar a dudas*

Treat the questions as a conversation rather than an interrogation

- *Es una buena pregunta*
- *Es una pregunta difícil*
- *No lo había considerado pero*
- *Lo discutimos siempre en casa*
- *Por una parte... por otra...*
- *No hay una respuesta fácil*

- *Es más complejo de lo que parece*
- *No se puede generalizar*
- *Es un tema polémico*
- *Creo que la razón es que*
- *Antes pensaba que... pero ahora...*
- *No sé / no estoy seguro/a*

Prepare your ideas on the Option topics

- The examiners will be listening to lots of orals on similar topics and they are infinitely more interested in *your* opinion on the topic, than in the topic itself. Spend time *thinking* about the topics and *talking* about the topic to different people – in Spanish if possible.

- Do some research on each Option topic so that you have concrete things to say, but explain how what you have read has helped you understand the issues better and helped you form an opinion. Don't just regurgitate ideas you've read as if they were yours. Instead, state that you have read something, present the writer's idea, and respond to it by agreeing or disagreeing and saying why. This is more effective and shows independent judgement as well as making it easier to use subjunctives, eg:

  "Leí un artículo en Internet que decía que ... y bueno, no estoy de acuerdo porque..."

  "Vi una entrevista con Rafa Nadal en Internet y decía que ...... y me sorprendió que dijera esto porque yo pensaba que ......"

  "He leído en El País que más de cincuenta mujeres han muerto este año a manos de sus maridos o parejas. No sabía que fuera tan grave el problema."

- Every time you find out a fact or statistic about Spain or a Spanish speaking country, try to find a contrasting fact from another culture or your own culture, and think of an opinion about it.

> **Oral revision tip!** Use www.rtve.es to browse articles and videos of topical issues.

Demonstrate thinking skills = get marks for "complex ideas"

- ✓ **Describe** (what's in the photo)
- ✓ **Explain** (situate the photo within a topic and explain why it's worth talking about)
- ✓ **Develop your opinion** (explain what you think about the issue)
- ✓ **Analyse** (the wider social / political / health / environmental implications of the issue)
- ✓ **Select** (choose relevant examples or statistics)
- ✓ **Compare and contrast** (make cultural comparisons)
- ✓ **Empathise** (try to understand the people involved / what you would do)
- ✓ **Hypothesise** (imagine the consequences of the government doing nothing about it)
- ✓ **Consider other points of view** (what the experts say and what you think about that)
- ✓ **Criticise** (is the government doing the wrong thing in your opinion?)
- ✓ **Summarise** (express the main point concisely)
- ✓ **Evaluate** (make a judgment about what is being done about the current situation)

And... avoid talking about very simple things, like your plans for the summer vacation!

Turn facts into your "opinions"

Phrasing things so they sound like your opinion makes it easier to use the subjunctive:

El gobierno ha aprobado una ley. → *Me parece bien que el gobierno haya aprobado esta ley.*

El presidente dijo que... → *Me pareció mal que el presidente dijera que…*

Es el problema más grave en España. → *Dudo que haya otro problema tan grave en España.*

Take this text on the *Central Solar de Sanlúcar* (see p134), which is largely lifted from a website, and see how purely narrative information can be made to look like your opinion and also serve to develop your own ideas:

> La Central Solar de Sanlúcar, España, consta de 624 helióstatos que concentran la energía solar sobre una torre solar de 114 metros de altura. Produce una potencia de 11MW y en el futuro generará una potencia suficiente para abastecer a toda la ciudad de Sevilla, lo que evitaría la emisión de 600.000 toneladas de CO_2 a la atmósfera.

> En mi opinión la Central Solar de Sanlúcar es impresionante. He leído que consta de 624 helióstatos, que son como placas solares que concentran la energía solar sobre una torre solar. La torre tiene 114 metros de altura o sea que se ve desde muy lejos. Produce una potencia de 11MW y en el futuro se dice que generará una potencia suficiente para abastecer a toda Sevilla, lo que me parece increíble porque evitaría la emisión de 600.000 toneladas de CO_2 a la atmósfera. Es lógico que aprovechen el sol en España. En Inglaterra no hace sol pero sí hace viento, por lo que el gobierno británico invierte más en la energía eólica que en la energía solar.

Try to sound natural and "authentic"

Don't talk too fast, relax, pace yourself, take breaths and make natural pauses. Pauses are important for the person listening so that they can process what you are saying. While it would be almost impossible to memorise a 3-4 minute presentation in just 15 minutes, there will be the temptation to memorise some brilliant sentences in advance. However, it's often obvious as memorised bits tend to be rushed. So if you do memorise some bits, **try to make it seem spontaneous** by adding natural pauses and fillers. Taking the same extract, read it aloud, pausing where you see a double slash (*//*) or ellipsis (...). Fillers (***mmm... eeh... bueno... creo que... como ya he dicho... ¿no?***) also help to make it sound like you are making it up as you go along.

> En mi opinión // la Central Solar de Sanlúcar es impresionante. // He leído que consta de 624 helióstatos, que son como **eeh...** placas solares que concentran la energía solar sobre una torre solar. // La torre tiene 114 metros de altura o sea que ... se ve desde muy lejos. Produce una potencia de ...**eeh...** 11MW y en el futuro se dice que generará una potencia suficiente para abastecer a toda Sevilla, lo que me parece increíble ¿**no?** porque evitaría la emisión de // 600.000 toneladas // de CO_2 // a la atmósfera. **Bueno...** es lógico que aprovechen el sol en España ¿**no?** En Inglaterra no hace sol pero sí hace viento // por lo que el gobierno británico invierte ... más en la energía eólica // que en la energía solar.

Enjoy yourself!

Even if you hate orals, are really nervous, and this is the worst day of your life, try to have a good time and show that you are totally relaxed and comfortable speaking Spanish with your teacher. Speak clearly and make a reasonable effort with pronunciation and intonation – remember, the examiner won't have the advantage of being able to see your facial expressions or hand gestures. Laugh and sound enthusiastic. The examiners will be very impressed.

Example Individual oral SL: Salud (10 minutes)

The sample photo on **Salud** has been used to conduct a full oral exam, with a presentation followed by questions and answers developing the topic. Mistakes are highlighted and the main errors corrected. Excellent bits are underlined with a tick next to the line. **To listen along, go to http://www.osc-ib.com/ib-revision-guides/spanish**

Key:
.... = not quite right
abc ✓ = excellent bit
~~abc~~ = shouldn't be there
(...) = something is missing

Profesora: Español lengua B nivel medio oral individual. Hola, buenos días.
Sophie: ¡Hola!

¿Qué tal?
Bien gracias, ¿Y tú?

Pues, bien, gracias. ¿Quieres empezar con la presentación?	00:00
Sí. La foto se trata de la salud y hay una mujer que <u>acaba de hacer</u> ejercicio	✓
y tiene una expresión enfocada que <u>nos hace pensar que</u> la ... el ejercicio es	✓
muy importante para ella. La playa está el lugar donde se tomó el foto y al	
fondo podemos ver que hay personas relajando y no hacen ejercicio.	00:35

El fo...la...el...la foto <u>llama atención</u> sobre los beneficios de hacer ejercicio	✓
por ejemplo: impide el estrés y la diabetes, y <u>si mi abuelo no hubiera</u>	✓✓
<u>haciendo</u>* <u>deporte no habría salido de diabetes</u>, lo que es muy importante	*hecho
para mí ... sobre todo. Pero lo que también es importante es comer sana y	
muchas personas no sé que tienes que comer comida sana para su	
bienestar. <u>No pienso que haya</u> muchas personas que entienden que cinco	✓✓
porciones de fruta o verdura al día <u>es tan importante como</u> el deporte, por	✓
ejemplo. Y mis amigas que usan el gimnasio cinco veces a la semana para	
perder peso no... no pienso que entienden los beneficios de comer sana	
porque <u>tienes que tener un equilibrio</u> entre los dos, que muchas veces...	✓
muchas personas no se dan cuenta a eso.	02:15

Los Estados Unidos son un país de extremos y hay algunas personas que	✓ buena
tienen la talla cero... que posiblemente hace ejercicio obsesivamente, pero	comparación
también hay una epidemia de obesidad. En, pues... en la Europa es	cultural
diferente porque hay mucho más comida que es más sana. Por ejemplo, en	

España hay mariscos y verdura... es más importante en la cultura. Pero <u>por el contrario</u> el nivel de obesidad infantil en España es muy alto, sobre todo en los últimos años, y lo que me sorprendí es ... es cómo he... ha aumentado tan* en los últimos años. <u>Es posible que el problema sea debido a</u> las escuelas porque no se fomentan los ... la importancia de hacer ejercicio... ejercicio físico regularmente.

✓
*tanto
✓✓

03:45

Pero en resumen, <u>es imprescindible que enseñemos</u> (a) los chicos de hacer ejercicio regularmente así que cuando serán mayor* puede evitar problemas con sus cuerpos.

✓✓
*sean mayores
04:02

Muy bien, muchas gracias. Has mencionado la importancia de la dieta y el papel de los colegios. ¿Qué papel juegan los padres en este contexto?
Pienso que los padres son las personas que probablemente tienen el papel mayor en las vidas de las chicas, por ejemplo, elegian* los...la dieta de los chicos y los chicos generalmente comen como sus padres han enseñado los chicos* pues pienso que es quizás más importante para... la... el ejercicio físico de las escuelas fomentan el importante porque muchas padres no entienden lo que los beneficios están.

*el-i-gen
*comen como sus padres *les* han enseñado

05:11

Y has mencionado en tu presentación los extremos, ¿no? Por una parte la anorexia y por otra parte la obesidad. ¿Crees que estos trastornos solo tienen que ver con la comida?
Pues sí, pero... por ejemplo algunos... algunas personas pueden decir que las deportistas son obses...son...están obsesiídas* con sus deportes pero, por ejemplo, <u>en mi opinión, el culturismo</u>* es <u>un</u> obsesión y no es muy sano para su cuerpo, así que depend...

*obsesionados

*el culturismo ✓
06:04

¿Por qué se vuelve obsesionada la gente con el deporte?
Pienso que es... quieren... quieren ver... cuando véis las revistas y los famosos, todos los chicos quieren ser como los famosos y así... los famosos tienen que... tener un papel... así que los jóvenes pueden... ser como los famosos, pero...al mismo tiempo...

06:58

Entonces, ¿crees que la culpa por la obsesión con ser delgado viene de los medios de comunicación?
Pues sí, sobre todo con el Internet. <u>Hay muchas diferentes páginas que fomentar anorexia</u>, por ejemplo, pero los gobiernos no pueden... cerrar los ... el Internet. Así que tenemos que ver lo que es en el Internet y... di* a los jóvenes que no es verdad... todo.

✓
*decir
07:48

¿Crees que este problema es peor en los países hispanos?
Pues posiblemente, pero hay famosos como Shakira y no me parec... no me parece que Shakira es demasiado delgado... delgada.

08:14

¿Ella es una... una buena modelo a seguir?
Sí, pues tiene un... tiene éxito de todo el mundo y no es tan delgada, así que los jóvenes pueden... esperar de ser como ella, pero los... hay otras famosas que no están tan bien de seguir.

08:50

Este año hemos estado hablando mucho de los Juegos Olímpicos, que van a tener lugar en verano en Londres y estamos viendo muchos más deportistas famosos en la tele y en las revistas. ¿Crees que esto es bueno?
Sí, pues la... los chicos en las escuelas son divertidos*, y quieren ser como los deportistas pues las deportistas son ahora de famosos así que los dos... puedes... pueden fomentar la importancia de hacer ejercicio en las escuelas cuando los chicos están jóven.

*están ilusionados

09:44

¿Son un modelo más sano?
Sí, tienen un dieta muy sano para hacer ejercicio físico muy... al nivel muy
alto, así que es un buen ejemplo para los jóvenes.

10:03

Muy bien, pues vamos a terminar aquí. Muchas gracias.
Gracias.

Valoración del oral:	
Destrezas productivas Su manejo de la lengua es bueno. En la presentación su lengua es variada, correcta, con expresiones idiomáticas. Más tarde, no varía tanto la gramática, usa mucho los verbos "tener", "querer", "poder". A veces utiliza vocabulario preciso, como "culturismo" y "fomentar". Tiene problemas de pronunciación, sobre todo con la "r", así que no se puede decir que la entonación *mejora* la comunicación.	**7/10**
Destrezas receptivas e interactivas Su interacción es muy buena. Entiende todas las preguntas y responde en seguida, abordando varios aspectos relacionados con el tema. La conversación discurre con coherencia aunque tiene cierta dificultad con la expresión de algunas ideas más complejas, más por falta de vocabulario que por falta de ideas.	**9/10**
	= 16/20 (6)

Example Individual oral HL: Diversidad cultural (10 minutes)

The sample photo on *Diversidad cultural* has been used to conduct a full oral exam, with a presentation followed by questions and answers developing the topic. Mistakes are highlighted and the main errors corrected. Excellent bits, including grammar, vocabulary and expressions, are underlined with a tick next to the line. **To listen along, go to http://www.osc-ib.com/ib-revision-guides/spanish**

Español lengua B nivel superior oral individual. ¡Hola!
¡Hola!

¿Quieres empezar con la presentación?
Sí, gracias.

Adelante.
Sí, pues esta foto se trata de una feria de turismo cultural en un país latinoamericano. Y en la foto se puede ver cuatro personas que están vestidas de ropa tradicional de su cultura indígena para mostrar la realidad de su cultura rica y todo. Pero pienso que la foto tiene un sentido bastante irónico también.

00:00
✓

✓
00:33

Sea la cultura azteca, maya o sea otra cultura indígena, es innegable que estas poblaciones forman gran parte del continente latinoamericano pero su

✓

condición está muchas veces asociada con la pobreza y esta gente sufre muchas veces <u>de marginación, de represión</u>, sobre todo por parte de los gobiernos, que les considera como grupo inferior, entonces es así* que pienso que la foto es bastante irónica, porque <u>nos presenta con una imagen</u> muy exagerada y muy idealistica* que en realidad no existe. Y a mí me parece muy triste que tanta gente sufra <u>de desnutrición, de dolor, de analfabetismo</u>, y que también carecen* servicios de agua potable, de electricidad y... acceso a hospitales y todo así*. Otra problema* con la cultura indígena viene de la lengua, porque claro que el español no es su <u>lengua materna</u> y entonces para esta gente les resulta bastante difícil integrarse en sociedades dónde no hablan la lengua perfectamente bien y es más difícil interactuar con el gobierno, <u>conseguir papeles legales</u> y todo así y también encontrar un buen trabajo que puede sostener su vida y su familia y todo.

A mi modo de ver, la situación de la gente indio... india, en América del Sur*, está bastante parecida a la de los aborígenes en Australia donde vivía yo antes. Y en este caso, hace unos cien años, el gobierno expulsó* la gente de su tierra y de su casa, <u>haciendo que trabajara</u> en los campos, casi como esclavos, y aun más triste: tomó los hijos de esta gente para integrarles en la sociedad de los australianos blancos y entonces no veían a sus... a sus... familias nunca más* y se... se habla de una generación perdida porque estos niños no conocen a su familia y a su... a su casa de verdad. Sin embargo, hoy en día en Australia existe mucha más comprensión <u>hacia</u> la cultura aborígena, y sobre todo en las escuelas, <u>se les enseña</u> a los niños de su cultura y de la historia y todo. Pero <u>si no hubiera sido por este gran cambio y todo, pienso que la situación allí sería</u> aun* grave como esa* en América del Sur hoy en día.

Entonces para resolver la problema*, pienso que <u>si reconocieran</u> la presencia de las culturas indígenas de forma... de forma concreto... concreta y actual, <u>sería</u> muchísimo mejor, porque hay que celebrar de verdad la diversidad cultural y <u>hacer que sus vidas sean</u> más fáciles, en lugar de ... presentar una imagen ideal que en realidad no existe... de ninguna manera.

Muchas gracias. ¿Crees que en general los mexicanos o los latinoamericanos valoran la diversidad cultural en sus países?
Pues, es difícil porque <u>hay dos aspectos a la pregunta</u>. <u>Por un lado</u>, como ya vemos en la foto hay el aspecto... hay... que... es muy interesante, atrae turistas y todo y la cultura, <u>pero de otro lado</u>, claro que hay una separación entre la gente indigena y la gente pues blanca o española y todo y no es que la gente no valor... valoran su presencia sino que quizás no la entiendan... la entienden.

Como tu has dicho antes, están... se asocia a las culturas indígenas con muchos colores y con los vestidos bonitos y has dicho que es una imagen idealista. ¿Por qué... por qué no entendemos nada de su cultura que no sea superficial?
Es... sí, <u>es interesante porque</u>, no sé exactamente por qué pero... si... no hay mucha interacción entre los dos grupos porque, claro que hay la lengua pero también, a veces no viven juntas, y todo, entonces todo lo que sabemos de las culturas viene de lo que leemos o lo que veemos* pero no de interacciones con la gente propia*.

Y para los turistas, ¿por qué crees que es tan fascinante la cultura indígena?
Pues es algo diferente <u>que no hemos visto nunca</u> y también la historia es muy rica con... sí, los aztecas, los mitos y todo. Y eso es muy interesante y es otra forma de pensar, de hecho, de... sí, de comprender el mundo.

IB Spanish B HL/SL Revision Guide   142   © Helena Matthews - OSC 2012

Margin annotations:

✓
* por eso
✓
*idealista
✓
*carezcan <u>de</u>
* y todo lo demás
*otr<u>o</u> problema
✓

✓

02:19
* es mejor decir "en América Latina"
*expulsó <u>a</u>
✓✓

*nunca volvieron a ver a sus familias
✓
✓
✓✓
*aun más   *la
03:49

*<u>el</u> problema
✓✓

✓
04:24 (la presentación es un poco larga)

✓✓

✓

05:18

✓

*vemos
*misma
06:12

✓✓

06:41

¿Crees que el gobierno debería reconocer lo que aportan los indígenas turísticamente*?
Sí, porque... de verdad les gustan*, como en la foto, es una atracción casi y entonces, sí, tienen que cuidarles un poco más y proporcionarles con servicios que realmente necesitan y hacen falta.

*al turismo del país
*les gusta a los turistas
✓✓
07:14

¿Cómo sufren los indígenas, de... en qué aspectos de su vida sufren discriminación?
Pues, porque* nunca he estado en América del Sur, puedo hablar un poco de Australia y pienso que es un poco similar, porque las comunidades son bastante pobres, y en... donde vive mi abuela en Adelaide, los aborígenes hay... tajos... ¿tasos?* muy altos de alcoholismo y de drogas y todo, y más crimen entre el grupo, porque sí, la vida es más fácil*, hay muchismo más desempleo y paro y entonces ya que no tienen acceso a los servicios que necesitan es mucho más difícil.

*ya que / como / dado que

*tasas muy altas
*¿difícil?
✓
08:12

En el caso de los ind... de los aborígenes en Australia, ¿hablan inglés?
Hablan inglés, sí, pero no tan bien como... más... más hoy en día, sí, porque los niños que van a la escuela hablan con sus otros compañeros y todo, pero...

08:32

En el caso de los indígenas en México, ¿crees que los niños deberían rechazar o renunciar a sus idiomas para aprender español?
Pues es la dificultad porque... no hay que olvidar su cultura, pero hay que ... hay que tener un equilibrio entre la... la realidad que... es que hay que hablar español para obtener trabajo y todo pero todavía hay que saber que... sí, su cultura viene primera*, y sí...

✓

09:10

Y tú sabes si los... o ¿qué hacen los indígenas, o en México o en Australia, para promover su cultura o para defender sus derechos?
Pues, pienso que por gran parte viene de los... los más viejos de los grupos que todavía mantienen su cultura, su ropa, su comida, y también los mitos y leyendas que... que contan* y todo. Pero sí, pienso que es, sobre todo cuando viven en comunidades con muchísima gente indígena es más fácil mantener el sentido de... de cultura de esa manera.

*cuentan

09:59

Muy bien, pues muchas gracias, hemos terminado.
Gracias.

10:04

Valoración del oral:	
Destrezas productivas Su manejo de la lengua es excelente. Utiliza un vocabulario preciso y variado. Tiene buena pronunciación y entonación. Utiliza los pronombres de manera correcta y el subjuntivo en la presentación. Durante la conversación, podría usar más variedad de tiempos verbales. Suena auténtica casi siempre (a pesar de que suele decir "*y todo así*" en vez de "*y todo lo demás*").	**9/10**
Destrezas receptivas e interactivas Su interacción es excelente, la conversación es natural y la candidata parece muy relajada. Entiende todo, responde en seguida y casi siempre desarrolla sus ideas con ejemplos. Ofrece comparaciones culturales detalladas y profundas que demuestran su comprensión del tema.	**10/10**
	= 19/20 **(7)**

Chapter 5   Language

Vocabulary

Building up your vocabulary is one of the hardest things and, unfortunately, this is where you just need to devote time to old fashioned learning and memorising. Here is a selection (by no means exhaustive) of vocabulary for all the Core & Option topics:

1. **Vocabulario relacionado con el Bachillerato Internacional**
2. **Tema troncal: Relaciones sociales**
3. **Tema troncal: Comunicación y medios**
4. **Tema troncal: Cuestiones globales**
5. **Tema opcional: Ciencia y tecnología**
6. **Tema opcional: Salud**
7. **Tema opcional: Ocio**
8. **Tema opcional: Costumbres y tradiciones**
9. **Tema opcional: Diversidad cultural**

As well as syllabus vocabulary there are a large number of generic, non-topic specific words you should also be familiar with and these are sorted into helpful categories:

1. **Variedades del español en el mundo**
2. **Culturas indígenas de Latinoamérica**
3. **A-Z de verbos útiles**
4. **Expresiones idiomáticas**
5. **¡Falsos amigos!**
6. **Estadísticas y fechas**
7. **Conectores**
8. **Errores comunes de vocabulario de NM (SL)**
9. **Vocabulario literario esencial de NS (HL)**

If this all seems like an impossibly vast range of vocabulary to learn, have another look at the syllabus information in the introduction, and work out whether you will need to **produce** it (eg: in an oral or in writing) or whether you just need to **recognise** it (eg: in a reading comprehension). This will determine whether you should **actively** learn it (how to spell it, how to pronounce it) or **passively** learn it (you would remember it in context or be able to guess its meaning if you saw it). For Paper 1, there are bound to be words you don't know and so you just need to develop strategies for dealing with unfamiliar words within context, *be prepared for the unexpected*, and try not to panic. If learning from lists is just not your style, try some of the ideas on the next page. There is also a lot that you can do to increase your range of vocabulary and cultural awareness by reading online, as this is the quickest way to access material from the widest variety of sources. Try the culture oriented sections of online newspapers and magazines. When you do a past paper reading comprehension, look at the end of the text for the source – it's often a website and this can give you a clue for the types of websites that the examiners browse! (See the back pages for more recommended websites).

How to learn vocabulary

- You can learn difficult or impressive words in the context of a sentence:

  "la mujer española tiene que <u>compaginar</u> el trabajo, la familia
  y las tareas domésticas"

- You can use the old-fashioned method of writing out a list, then doing "look, say, cover, write, check":

valores del BI	valores del BI	valores del BI	
la comunicación	la comunicación	la comunicación	
la integridad	la integridad	la integridad	
la valentía	la valentía	la valentía	
la justicia	la justicia	la justicia	

       ↑   ↑   ↑

    Fold   Fold   Fold

- You can group and learn words according to their root:

  - la <u>inmigr</u>ación – un inmigrante – inmigrar
  - el <u>deport</u>e – un deportista – las instalaciones deportivas

- You can make crosswords and wordsearches for yourself or revision partner using:

  http://www.discoveryeducation.com/free-puzzlemaker/

- You can go through your essays highlighting common or repeated words (eg *tener*) and try to find more interesting ways of saying things:

> *estoy rodeado de*   *Dispongo de*
> En mi día a día <u>utilizo</u> mucha tecnología. <u>Tengo</u> un ordenador, un iPod y una cámara
>   *guardo un montón de*   *guay*   *me gustaría que me dieran*
> digital. En mi iPod, <u>tengo mucha</u> música <u>buena</u>. Pero también <u>me gustaría tener</u> un
>   *práctico*   *totalmente imprescindible*
> kindle porque es muy <u>bueno</u> para leer en el avión. Mi ordenador es <u>muy importante</u>
>   *chatear*   *entretenido*
> para hacer mis deberes y <u>hablar</u> con mis amigos por Facebook que es muy <u>divertido</u>.

- You can make flashcards with a topic picture on one side and a spider diagram or list of associated words on the other:

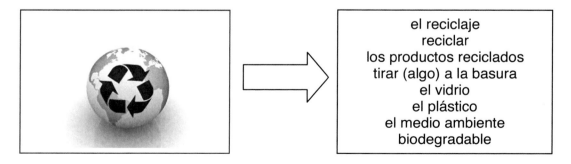

el reciclaje
reciclar
los productos reciclados
tirar (algo) a la basura
el vidrio
el plástico
el medio ambiente
biodegradable

- You can learn surprisingly long lists of words when practising with a friend by orally testing each other (especially if there is a chocolate prize for the person who remembers the most...)

Vocabulario relacionado con el Bachillerato Internacional

núcleo	*the core*	compasión (la)	*compassion*
teoría (la) del conocimiento	*TOK*	comunicación (la)	*communication*
		conocimiento (el)	*knowledge*
monografía (la)	*EE*	creatividad (la)	*creativity*
CAS (creatividad, acción y servicio)	*CAS (Creative, Action, Service)*	curiosidad (la)	*curiosity*
		destrezas (las)	*skills*
perfil (el) del estudiante	*learner profile*	empatía (la)	*empathy*
		equilibrio (el)	*balance*
indagador	*inquirer*	independencia (la)	*independence*
instruido	*knowledgeable*	integridad (la)	*integrity*
pensador	*thinker*	justicia (la)	*justice*
comunicador	*communicator*	tener éxito	*to succeed*
íntegro	*principled*	sentido (el) de la responsabilidad	*sense of responsibility*
de mentalidad abierta	*open-minded*		
solidario	*caring*	tomar decisiones éticas	*to make ethical decisions*
audaz	*risk-taker*		
equilibrado	*balanced*	valentía (la)	*bravery*
reflexivo	*reflective*	valor (el) del esfuerzo	*the value of effort*
ambición (la)	*ambition*	valores (los) personales	*personal values*
aprendizaje (el)	*learning*		

Tema troncal: Relaciones sociales
To do with how people relate to each other, in the home, at work, and in society

las relaciones *relationships*

amigos (los)	*friends*	felicidad (la)	*happiness*
amor (el)	*love*	fiel	*faithful*
aspiraciones (las)	*aspirations*	igualdad de género (la)	*gender equality*
brecha generacional (la)	*generation gap*	longevidad (la)	*longevity*
cita (la)	*date*	matrimonio (el)	*marriage*
colegas del trabajo (los)	*colleagues*	mostrar respeto hacia los adultos / los menores / los mayores de edad	*to show respect towards adults / younger people / older people*
confiar en alguien	*to trust someone*		
divorcio (el)	*divorce*		
emanciparse de los padres	*to leave home*		
		nostalgia (la)	*nostalgia*
establecer amistades / hacer amigos	*to make friends*	novia (la)	*girlfriend*
		novio (el)	*boyfriend*
familia (la)	*family*	parientes (los)	*relatives*
familia monoparental (la)	*single parent family*	rebelarse contra	*to rebel against*
		relacionarse con la gente	*to socialise*

las estructuras sociales *social structures*

adolescentes (los)	*adolescents*	lengua (la)	*language / tongue*
comportamiento (el)	*behaviour*	minorías étnicas (las)	*ethnic minorities*
estructuras políticas (las)	*political structures*	multilingüismo (el)	*multilingualism*
fanatismo (el)	*fanatism*	nacionalismo (el)	*nationalism*
fenómeno (el)	*phenomenon*	patriotismo (el)	*patriotism*
identidad cultural (la)	*cultural identity*	plurilingüismo (el)	*plurilingualism*
idiomas (los)	*languages*	tabúes (los)	*taboos*

la educación *education*

acoso escolar (el)	*bullying*	instalaciones (las)	*facilities*
año sabático (el)	*a gap year*	licenciatura (la)	*degree*
asignaturas (las) obligatorias	*compulsory subjects*	sistemas (los) educativos	*educational systems*
beca (la)	*grant / scholarship*	universidad (la)	*university*
carrera universitaria (la)	*university / degree (subject)*	violencia (la) en las aulas	*violence in schools*

Tema troncal: Comunicación y medios
To do with information and entertainment

los medios de comunicación *media*

anunciante (el)	*advertiser*		
anuncios (los)	*adverts*		
aparecer	*to appear*	parcialidad (la)	*bias*
censura (la)	*censorhip*	parecerse a	*to look like*
consumidor (el)	*consumer*	perfección física (la)	*physical perfection*
consumismo (el)	*consumerism*	periódico (el)	*newspaper*
correo (el)	*post*	periodista (el)	*journalist*
dejarse influir	*to be influenced*	popular	*popular*
engañar	*to deceive*	precio (el)	*price*
estereotipos (los) / tópicos (los)	*stereotypes*	prensa escrita (la)	*the printed press*
		productos (los)	*products*
éxito (el)	*success*	publicidad (la)	*advertising*
foto (la)	*photo*	radio (la)	*radio*
hombre (el) / varón (el)	*man*	responsabilidad (la)	*responsibility*
identificarse con	*to identify with*	revistas (las)	*magazines*
imagen (la)	*image*	seducir	*to seduce*
innovador	*innovative*	sensacionalismo (el)	*sensationalism*
inseguridad (la)	*insecurity*	teléfono móvil (el) / celular (el)	*mobile phone*
manipulación (la)	*manipulation*		
mensaje (el)	*message*	telespectadores (los) /	*TV viewers /*
mito (el)	*myth*	televidentes (los) /	*the public*
modelos a seguir (los)	*role models*	público (el) /	
moral pública (la)	*public morale*	audiencia (la)	
mujer (la) / fémina (la)	*woman*	televisión (la)	*TV*

la informática *information technology*

agilidad (la)	*agility*	herramientas (las)	*tools*
arroba (la)	*@ sign*	interactividad (la)	*interactivity*
beneficios (los)	*benefits*	mandar mensajes	*to send messages*
buzón (el)	*inbox*	navegar por Internet	*to surf the web*
ciberacoso (el)	*online bullying*	ordenador (el) / computadora (la)	*computer*
cibernauta	*cybernaut*		
comprar por internet	*to shop online*	pantalla táctil (la)	*touch screen*
conexión inalámbrica (la)	*wireless connection*	pedagógico / educativo	*educational*
		percepción espacial (la)	*spatial awareness*
chatear	*to chat online*	piratería (la)	*piracy*
de boca en boca	*word of mouth*	portátil (el)	*laptop*
descargar	*download*	prohibir	*to prohibit*
destrezas (las)	*skills*	redes sociales (las)	*social networks*
desventajas (las) / inconvenientes (los)	*disadvantages*	salas de chat (las)	*chat rooms*
		socializarse	*to socialise*

echar la culpa a	*to blame*	sonidos (los)	*sounds*
en la actualidad / hoy en día	*nowadays*	subir fotos	*upload photos*
		superar	*to overcome*
estar enganchado al	*to be hooked on*	sustituir	*to substitute*
estar obsesionado con	*to be obsessed with*	Tuenti	*Tuenti = a Spanish social network*
estimular	*to stimulate*	cibercafé (el)	*internet café*
grabar	*to record*	usuarios (los)	*users*
habilidades (las)	*abilities*	ventajas (las)	*advantages*
		videojuegos (los)	*videogames*

Tema troncal: Cuestiones globales
To do with regional, national and international concerns of Spanish speaking countries

el medio ambiente *the environment*

animales en peligro de extinción (los)	*endangered animals*	reciclaje (el)	*recycling*
calentamiento global (el)	*global warming*	reservas de energía (las)	*energy reserves*
cambio climático (el)	*climate change*	respeto hacia el medio ambiente (el)	*respect for the environment*
contaminación acústica (la)	*sound pollution*	selva del Amazonas (la)	*Amazon rainforest*
contaminación lumínica (la)	*light pollution*		
deforestación (la)	*deforestation*	sostenible	*sustainable*
desastres naturales (los)	*natural disasters*	sostenibilidad (la)	*sustainability*
efectos del turismo (los)	*the effects of tourism*	terremotos (los)	*earthquakes*
naturaleza (la)	*nature*	tsunamis (los)	*tsunamis*

la globalización *globalisation*

agua (el)	*water*	hambruna (la)	*famine*
alfabetización (la)	*literacy (drive)*	inmigración (la)	*immigration*
alimentos (los)	*food*	inversión (la)	*investment*
analfabetismo (el)	*illiteracy*	migración (la)	*migration*
ciudadanía (la)	*citizenship*	miseria (la)	*extreme poverty*
comercio (el)	*trade*	narcotráfico (el)	*drugtrafficking*
conflictos internacionales (los)	*international conflicts*	negocios (los)	*business*
		ONG (las)	*NGOs*
crecimiento económico (el)	*economic growth*	ONU (la)	*the United Nations*
		organizaciones benéficas (las)	*charities*
desnutrición (la)	*malnutrition*		
drogas (las)	*drugs*	paz (la)	*peace*
economía internacional (la)	*international economy*	personas sin hogar (las) / sin techo (los)	*homeless people*
emigración (la)	*emigration*	pesticidas (los)	*pesticides*
éxodo rural (el)	*rural exodus*	pobreza (la)	*poverty*
fertilizantes (los)	*fertilizers*	polémica (la)	*a controversy*
generaciones venideras (las)	*future generations*	polémico	*controversial*
		prejuicios (los)	*prejudices*
gobierno (el)	*government*	racismo (el)	*racism*
guerra (la)	*war*	solidaridad (la)	*solidarity*
hambre (el) (f)	*hunger*	transgénico	*genetically modified*

Tema opcional: Ciencia y tecnología

To do with the relationship between science and technology and how they impact on Spanish speaking communities

los avances médicos *medical advances*

células madres (las)	*stem cells*	donación de órganos (la)	*organ donation*
científicos (los)	*scientists*	embriones (los)	*embryos*
clonación (la)	*cloning*	ética (la)	*ethics*
criogenizar	*to freeze*	eutanasia (la)	*euthanasia*

el impacto de la tecnología de la información en la sociedad *the impact of ICT on society*

acceso a Internet (el)	*access to the Internet*	iniciativas (las)	*initiatives*
		inteligencia artificial (la)	*artificial intelligence*
aislamiento (el)	*isolation*	inventar	*to invent*
ciberterrorismo (el)	*cyberterrorism*	investigación (la)	*research*
consecuencias (las)	*consequences*	máquinas (las)	*machines*
descubrimientos (los)	*discoveries*	nanotecnología (la)	*nanotechnology*
descubrir	*to discover*	robots (los)	*robots*
herramientas (las)	*tools*		

las energías renovables *renewable energies*

carbón (el)	*carbon*	materiales reciclados (los)	*recycled materials*
casas ecológicas (las)	*ecological houses*	medidas (las)	*measures*
economizar	*to economize*	mundial	*global*
energía eólica (la)	*wind power*	petróleo (el)	*oil*
energía solar (la)	*solar power*	recursos naturales (los)	*natural resources*
fuentes (las) de energía	*energy sources*	subida de precios (la)	*price hike*
		vivienda (la)	*housing*
generar energía	*to generate energy*		

la exploración espacial *space exploration*

estrellas (las)	*stars*	telescopio (el)	*telescope*
Luna (la)	*the moon*	Tierra (la)	*Earth*
marcianos (los)	*aliens*	turismo espacial (el)	*space tourism*
Sol (el)	*the sun*	Vía Láctea (la)	*milky way*

Tema opcional: Salud

To do with physical and mental well being and illnesses

una dieta equilibrada *a balanced diet*

acné (el)	*acne*	llevar una vida sana	*to lead a healthy life*
alimentarse bien	*to eat well*	mente (la)	*the mind*
anorexia (la)	*anorexia*	nutritivo	*nutricious*
belleza (la)	*beauty*	obesidad (la)	*obesity*
bulimia (la)	*bulimia*	régimen (el)	*diet*
cicatrices (las)	*scars*	salud (la)	*health*
cirugía plástica (la)	*plastic surgery*	saludable	*healthy*
cuerpo (el)	*body*	sano	*healthy*
delgadez (la)	*thinness*	trastornos alimenticios (los)	*eating disorders*
dormir	*to sleep*		

las adicciones *addictions*

arriesgarse	*to take a risk*	hacer un botellón	*drinking on the streets*
drogas (las)	*drugs*	inyectar	*to inject*
emborracharse	*to get drunk*	nocivo	*harmful*
fumar (el)	*smoking*	tabaco (el)	*tabaco*
hacer daño a	*to harm*		

las enfermedades *illnesses*

ataque cardíaco (el)	*heart attack*	gripe (la)	*flu*
cáncer (el)	*cancer*	medicina (la)	*medicine*
diabetes (la)	*diabetes*	SIDA (el)	*AIDS*
genética (la)	*genetics*	vacunas (las)	*vaccinations*

Tema opcional: Ocio
To do with activities done for enjoyment

el entretenimiento *entertainment*

actividades (las)	*activities*	lanzar un CD	*to release an album*
artista (el/la)	*artist*	lectura (la)	*reading*
canción (la)	*song*	lugares (los)	*places*
cantante (el/la)	*singer*	muchedumbre (la)	*crowds*
cine (el)	*cinema*	música (la)	*music*
concierto (el)	*concert*	obra de arte (la)	*work of art*
concurso (el)	*contest*	pasatiempos (los)	*hobbies*
cuadro (el)	*painting*	película (la)	*film*
cultura (la)	*culture*	protagonista (el)	*the main character*
espectáculo (el)	*show*	ser aficionado a	*to be a fan of*
experiencias (las)	*experiences*	teatro (el)	*the theatre*
experimentar	*to experience*	telebasura (la)	*junk TV*
exposición (la)	*exhibition*	telerealidad (la)	*reality TV*
juegos (los)	*games*	vida nocturna (la)	*night life*

el deporte *sport*

apasionarse por	*to be passionate about*	hacer ejercicio	*to exercise*
		marcar un gol	*to score a goal*
atleta (el)	*an althlete*	partido (el)	*match*
baloncesto (el)	*basketball*	Pelota Vasca (la)	*Basque Ball*
deportistas de élite (los)	*elite sportspeople*	perder	*to lose*
dopaje (el)	*doping (drugs in sport)*	seguidores (los) / hinchas (los)	*fans*
esforzarse	*to push yourself*	Selección (la) Nacional	*National Team*
fingir	*to pretend*		
Fórmula 1 (la)	*Formula 1*	ser buen deportista	*to be sportsmanlike*
ganar	*to win*		
gritar	*to shout*		

viajar *to travel*

abono mensual (el)	*monthly pass*	Parador (el) Nacional	*state-run hotel*
albergue juvenil (el)	*youth hostel*	recorrido (el)	*route*
autobús (el)	*bus*	retraso del vuelo (el)	*flight delay*
coche (el)	*car*	riesgo (el)	*risk*
conducir bajo los efectos del alcohol	*to drink drive*	seguridad (la)	*security*
		transporte (el) público	*public transport*
ecoturismo (el)	*ecotourism*	turismo (el) responsable	*responsible tourism*
ir al extranjero	*to go abroad*		

Tema opcional: Costumbres y tradiciones
To do with past and present expressions of Hispanic tradition

| **el Carnaval** | **los Sanfermines** | **las Fallas de Valencia** | **el Día de los Muertos** |

las fiestas *festivals*

bailes típicos (los)	*typical dances*	flamenco (el)	*flamenco*
banderas (las)	*flags*	folclore (el)	*folklore*
Castellers (los)	*Human Towers*	máscaras (las)	*masks*
códigos de vestimenta (los)	*dress codes*	procesiones (las)	*processions*
Cuaresma (la)	*Lent*	Reyes Magos (los)	*the 3 wise men*
desfiles (los)	*parades*	salsa (la)	*salsa*
disfraces (los)	*disguises*	Semana Santa (la)	*Easter (Holy Week)*
fiestas (las) populares / nacionales / religiosas	*popular / national / religious festivals*	tango (el)	*tango*
		tauromaquia (la)	*bullfighting*
		trajes nacionales (los)	*national costumes*

las celebraciones familiares *family occasions*

ajuar (el)	*bride's trousseau*	felicitar	*to congratulate*
bautizo (el)	*baptism*	funeral (el)	*funeral*
boda (la)	*wedding*	gastronomía (la)	*gastronomy*
cantar "las mañanitas"	*to sing happy birthday (in Mexico)*	luna de miel (la)	*honeymoon*
		luto (el)	*mourning*
cocinero (el)	*chef / cook*	quinceañera (la)	*15th birthday*
comunión (la)	*communion*	velas (las)	*candles*
cumpleaños (el)	*birthday*		

los acontecimientos históricos *historical events*

descubrimiento (el) de América	*discovery of America*	guerra civil (la)	*Civil War*
		Jefe de Estado (el)	*Head of State*
dictadura (la)	*dictatorship*	monarquía (la)	*monarchy*
golpe de estado (el)	*coup d'état*	revolución (la)	*revolution*

la religión *religion*

cristiano	*Christian*	llevar velo	*to wear the veil*
crucifijo (el)	*crucifix*	mezquita (la)	*Mosque*
etiqueta (la)	*etiquette*	misa (la)	*mass*
iglesia (la)	*Church*	musulmán	*Muslim*
judío	*Jewish*	respeto (el)	*respect*
		sinagoga (la)	*Synagogue*

Tema opcional: Diversidad Cultural

To do with ethnic, racial, gender and ideological diversity

la riqueza cultural *cultural diversity*

aldea (la)	*(remote) village*
amenazado	*threatened*
amenazar	*to threaten*
analfabetismo (el)	*illiteracy*
ancianos/mayores (los)	*elders*
antaño	*yesteryear*
antepasados (los)	*ancestors*
apoyar	*to support*
artesanía (la)	*crafts*
artesano (el)	*artesan*
asistencia (la) al colegio	*school attendance*
atraso (el)	*backwardness*
campaña (la)	*campaign*
campesinos (los)	*peasant / farmers*
caza (la)	*hunting*
colonos (los)	*colonists, settlers*
compañías (las) madereras	*logging companies*
conceptos de belleza (los)	*concepts of beauty*
Cono Sur (el) (Chile / Argentina / Paraguay / Uruguay)	*the Southern Cone*
cultivos (los)	*crops*
desafío (el)	*challenge*
desaparecer	*to disappear*
desarrollo (el)	*development*
dirigentes / líderes (los)	*leaders*
diversidad (la) lingüística	*linguistic diversity*
ejército (el)	*army*
enriquecedor	*enriching*
esperanza (la) de vida	*life expectancy*
estabilidad (la)	*stability*
explotar	*to exploit*
extinguirse	*to die out*

foros (los) internacionales	*international forums*
fronteras (las)	*frontier, border*
gitanos (los)	*gypsies*
guerrillas (las)	*guerillas, rebel army*
idiomas (los) indígenas	*indigenous languages*
integrarse	*to integrate*
libertad (la)	*freedom*
luchar por	*to fight for*
madera (la)	*wood*
marginado	*marginalized / excluded from society*
mezcla (la) de razas	*mixed races*
persecución (la)	*persecution*
pesca (la)	*fishing*
poblaciones (las)	*communities*
pobreza / miseria (la)	*poverty*
preservar su modo de vida	*to preserve their way of life*
progreso (el)	*progress*
pueblos (los) primitivos	*primitive peoples*
raíces (las)	*roots*
reivindicar	*to re-claim what is rightfully yours*
respetar	*to respect*
sabio	*wise*
sagrado	*sacred*
telas (las)	*fabrics*
tierra (la)	*land*
torre (la) de Babel	*Tower of Babel (a melting pot of languages)*
xenofobia (la)	*xenophobia*

Variedades del español en el mundo

Cultural diversity is particularly relevant to the study of Spanish because it is spoken in so many countries besides Spain, including the Canary Islands, the Balearic Islands and most countries in Latin America. A lasting legacy of its colonial past, Spanish is also spoken in Ecuatorial Guinea and the Phillippines. It's worth getting out an Atlas and familiarising yourself with all these places.

Within all of these countries, there are **regional linguistic variations**, for example, in Spain, *Galician*, *Catalan* and *Euskera* (*Basque*) are official languages alongside *Castilian* (*Spanish*). In Mallorca, for example, they speak *Mallorquí*, a dialect of *Catalan*, as well as Spanish. In Latin America, you will find **differences in common vocabulary**. In Perú, for example, they use lots of diminutives e.g. cara → carita; rayo → rayita. In Argentina, they use *vos* instead of *tú*, with its own set of verb endings. Other examples include:

English	in Spain	differences in Latin America
a flat/apartment	*un piso*	*un departamento* in Mexico
a bedroom	*un dormitorio*	*una recámara* in Mexico
a bus	*un autobús*	*una guagua* in Canary Islands and Cuba
a sandwich	*un bocadillo*	*una torta* in Mexico
an avocado	*un aguacate*	*una palta* in Chile
a peach	*un melocotón*	*un durazno* in Mexico
a swimming pool	*una piscina*	*una alberca* in Mexico
a swimming costume	*un traje de baño*	*una malla* in Argentina
cool	*guay*	*chévere* in Venezuela
		chido in Mexico

In the United States, in cities inhabited by millions of second-generation immigrants or Chicanos, you'll find **Spanglish** freely spoken between people who speak a mixture of English and Spanish. Some people are against this 'corruption' of languages and think that its speakers are unable to speak either language correctly. Others see it as an unstoppable phenomenon that is actually quite exciting or an inevitable evolution of language in the Internet age. Examples of Spanglish include:

English word	Spanglish	correct Spanish word
jeans	*los jeans*	*vaqueros / tejanos*
application	*la aplicación*	*el formulario / la solicitud*
to check	*checar / chequear*	*comprobar / averiguar / verificar*
to click on the link	*clickear en el link*	*pulsar el enlace*
carpet	*la carpeta*	*moqueta (una carpeta* is a folder*)*
to rent	*rentar*	*alquilar*
to work out	*uerkaut*	*hacer ejercicio*

In Latin America, there are hundreds, even thousands, of **indigenous communities**, all speaking different languages, and while some of these are totally isolated, others have an influence on Spanish spoken today. For example, in Mexico, many words are derived from *Nahuatl*, the ancient Aztec language, such as *chocolate*, which is derived from *xocolatl*.

Paper 1 texts often deal with languages and cultures related to Spanish and Paper 2 will have a question about cultural diversity. While you are not expected to know everything about all these regional variations, a little research can help you feel more confident when confronted by vocabulary that looks nothing like the Spanish you may have seen in class.

Culturas indígenas de Latinoamérica

Google these indigenous communities and shade in their territories on the map:

los Aymará	los Maya	los Mapuche	los Kuna
los Inca (lengua *Quechua*)		los Azteca (lengua *Náhuatl*)	
los Caribes	los Nukak	los Shipibo	los Guaraníes

* no se habla español en estos países

To learn more about the different varieties of Spanish and Indigenous cultures, take a look at the following websites:

> **http://www.vaucanson.org/espagnol/linguistique/lenguas_mundo.htm** (comprehensive information about Spanish around the world)
> **http://lanic.utexas.edu/la/region/indigenous/indexesp.html** (Latin American Network Information Centre with links to many websites devoted to indigenous cultures)

A-Z de verbos útiles

Vary your verbs as much as possible and avoid overusing the usual *hacer, tener, pensar, querer*.

- A -
acercarse – *to approach*
acompañar a – *to accompany*
acordarse de – *to remember*
adquirir – *to acquire*
aguantar – *to put up with*
aislar – *to isolate*
alcanzar – *to reach*
alejarse – *to move away from*
apetecer – *to feel like*
apoyar – *to support*
aprender – *to learn*
aprovechar – *to make the most of*
atender – *to serve*
asegurar – *to ensure*
asistir a – *to attend*
asustar – *to shock, frighten*
averiguar – *to ascertain, find out*

- C -
comenzar – *to begin*
comprender – *to understand*
conseguir – *to achieve*
continuar – *to continue*
crear – *to create*
crecer – *to grow, grow up*
creer – *to believe*
criar – *to bring up*
cumplir – *to fulfill*

- D -
darse cuenta de – *to realise*
desaparecer – *to disappear*
destacar – *to highlight, emphasise*
desviar – *to deviate*
dirigirse a – *to address someone*
dudar – *to doubt*

- E -
empezar – *to begin*
encerrarse – *to lock away*
enseñar – *to teach*
entender – *to understand*
enterarse de – *to hear about something*
entregar – *to give in*
equivocarse – *to be mistaken*
exigir – *to demand*
evitar – *to avoid*
extenderse – *to spread out*

- F -
fallecer – *to die*
fomentar – *to foster, encourage, foment*

- G -
gozar – *to heartily enjoy*

- H -
hallar – *to find*

- I -
ignorar – *to not know*
impedir – *to prevent*
intentar – *to attempt*
interrumpir – *to interrupt*

- L -
lograr – to *achieve, to manage to do*

- M -
mandar – *to send by post, to give orders,*
    to boss about
morir – *to die*

- O -
ocurrir – *to happen*

- P -
parecer – *to seem*
perdurar – *to last*
permanecer – *to remain*
preocuparse por – *to worry about*
pretender – *to intend*
prevenir – *to warn*
probar – *to try, to taste*
probarse – *to try on*
proporcionar – *to provide*

- Q -
quejarse de – *to complain*

- R -
recordar – *to remember*
rendirse – *to give up, to give in*
retroceder – *to retreat, to step back*
rogar – *to beg*

- S -
señalar – *to point out*
sobrevivir – *to survive*
sonreír – *to smile*
soportar – *to put up with*
subrayar – *to underline*

- T -
temer – *to fear*
topar con – *to come across, encounter*
tratar – *to attempt, to try, to deal with*

- V -
vacilar – *to hesitate*
valer – *to be worth*
vigilar – *to keep watch over*

Expresiones idiomáticas

Examiners like to see you using idiomatic expressions, which are turns of phrase which cannot be translated literally. This is no mean feat as you only really get to grips with them when you spend time in the country. To show you what I mean, I have already used 3 idiomatic expressions: "turns of phrase", "no mean feat", and "to get to grips with" are all idiomatic expressions, which if translated literally into Spanish as "*vueltas de frase*", "*ninguna hazaña mezquina*" and "*conseguir apretones con*" mean **absolutely nothing!** Idiomatic expressions are *not* the same as sayings and proverbs, which, if you try to sprinkle into your writing looks very contrived and doesn't usually work. Here are some very useful and common idiomatic expressions which you can incorporate in your writing and oral:

a eso de – *at about (time)*	hacer caso – *to pay attention*
a lo mejor – *maybe*	hacer falta – *to be necessary*
acabar de + infinitivo – *to have just done*	hacer frente – *to face up to*
al fin y al cabo – *at the end of the day*	hacer la vista gorda – *to turn a blind eye*
al menos – *at least*	hacer trampa – *to cheat*
al revés – *on the contrary*	
	ir de fiesta / ir de juerga / salir de marcha – *to go out partying / clubbing*
cambiar de idea – *to change your mind*	
como si fuera poco – *as if that weren't enough*	llevar a cabo – *to carry out*
contar con – *to count on*	
cuando pueda – *whenever I can*	maldita sea – *damn it!*
cuanto antes – *as soon as possible*	me cae bien / mal – *I like / dislike someone*
cuatro gatos – *one or two people*	
	poner trabas a – *to cause problems*
dar una vuelta – *to go for a walk / ride*	para colmo – *the last straw / to top it off*
dar mala espina – *to be apprehensive*	ponerse de pie – *to stand up*
darse cuenta de – *to realise*	por mucho que + subjuntivo – *as much as...*
darse prisa – *to hurry up*	
de ahora en adelante – *from now on*	rumbo a – *towards*
de la noche a la manaña – *overnight*	
de hecho – *in fact*	salir adelante – *to get by*
de nuevo – *again*	salir de un apuro – *to get out of trouble*
de repente – *suddenly*	
dejar en paz – *to leave alone*	tarde o temprano – *sooner or later*
desde hace / desde hacía – *since*	tener cuidado – *to be careful*
desmelenarse – *to let your hair down*	tener razón – t*o be right*
	tener algo que ver con / no tener nada que ver con – *to have something / nothing to do with*
echar la culpa a – *to blame*	
echar de menos – *to miss*	
echar un vistazo – *to glance at*	todo el mundo – *everyone*
en absoluto – *not at all*	tener en cuenta / tomar en cuenta – *to bear in mind / to take into account*
en medio de la nada – *in the middle of nowhere*	
en serio – *seriously*	
en un abrir y cerrar de ojos – *in the blink of an eye*	una y otra vez – *again and again*
estar al tanto – *to be up-to-date*	vale la pena – *it's worth it*
estar harto de – *to be fed up*	volverse loco – *to go mad / crazy*
estar fuera de control – *to be out of control*	volver a (+ infinitivo) – *to do (something) again*

¡Falsos amigos!

español	inglés	vs	English	Spanish
en absoluto = at all / absolutely not			absolutely = **totalmente**	
actual, actualmente = current/currently			actual = **real, el mismo**	
asistir = to attend			to assist = **ayudar**	
atender = to serve/attend to (eg doctor)			to attend = **asistir a**	
una campaña = campaign			countryside = **el campo**	
un compromiso = commitment			a compromise = **un acuerdo**	
contestar = to answer / reply			to contest = **oponerse / refutar**	
desgracia = a misfortune			a disgrace = **una vergüenza**	
decepcionar = to disappoint			to deceive = **engañar**	
disgusto = unpleasant news			disgusting = **asqueroso**	
efectivo = cash			effective = **eficaz**	
embarazada = pregnant			to be embarrassed = **tener vergüenza**	
emocionante = exciting			emotional/moving = **emotivo**	
éxito = success			exit = **salida**	
fútil = trivial / insignificant			futile = **inútil**	
ignorar = to be unaware of / to ignore			to ignore = **no hacer caso a**	
inconsecuente = inconsistent			inconsequential = **intrascendente**	
introducir = to put in / put into effect			to introduce someone = **presentar a**	
molestar = to bother			to molest = **atacar a / abusar de**	
pretender = to try			to pretend = **hacer ver que / fingir**	
real = royal / real			real = **verdadero**	
realizar = to achieve a goal			to realise = **darse cuenta de**	
recordar = to remember / remind			to record = **grabar**	
sensible = sensitive			sensible = **sensato**	
soportar = to put up with / to bear			to support = **apoyar / sostener**	

Estadísticas y fechas

 Paper 1 reading comprehensions are often articles and reports with statistics, figures and trends. While the content is not usually too complicated, familiarization with the following expressions will help you navigate your way through such texts with more confidence. Try to impress the examiners by providing facts, either in your Oral, your Paper 2 or your Written Assignment, if relevant.

Porcentajes y estadísticas

10%	el diez por ciento
25%	el veinticinco por ciento / una cuarta parte (1/4)
33,3%	el treinta y tres coma tres por ciento / una tercera parte / un tercio (1/3)
50%	el cincuenta por ciento / la mitad
75%	el setenta y cinco por ciento / tres cuartas partes (3/4)
< / > 50%	más/ menos de la mitad
100%	el cien por cien

➢ *Las emisiones de gases deberán reducirse entre un 75% y un 95% antes de 2050.*
➢ *Las estadísticas demuestran que la cifra de víctimas de malos tratos ha aumentado considerablemente en los últimos años.*
➢ *El 40% de los jóvenes encuestados dice / afirma haber sufrido acoso escolar.*
➢ *El problema parece mayor entre chicas.*
➢ *Casi la mitad de los votantes está a favor de la nueva ley, pero el resto la rechaza.*
➢ *Según una encuesta reciente, hay que echar la culpa a los padres / a los profesores / al gobierno.*
➢ *La mayoría de la gente tiene teléfono móvil.*
➢ *Es necesario hacer hincapié en el hecho de que aún hay presos políticos en algunos países del mundo.*

Fechas

30.10.1784	El treinta de octubre de mil setecientos ochenta y cuatro
04.01.1991	El cuatro de enero de mil novecientos noventa y uno
22.09.2010	El veintidós de septiembre de dos mil diez

Páginas web

www.ocado.com	*Tres uves dobles-punto-ocado-punto-com*
www.los40.es	*Tres uves dobles-los cuarenta-punto-es*

Direcciones de correo electrónico

Patricia_marina@yahoo.es	Patricia con P mayúscula - guión bajo - marina con m minúscula - arroba - yahoo - punto - es

Conectores

Connecting words (or cohesive devices / conjunctions) are essential to enable you to construct a coherent argument, by linking ideas and expressing reasons, causes and consequences. They also enable you to construct longer sentences in which you will inevitably use a wider range of tenses.

basic range		
	first	*en primer lugar*
	also	*además / también*
	then / after	*luego / después (de)*
	so	*así que*
	therefore	*entonces*
	however	*sin embargo / no obstante*
	but	*pero*
	not just this, but...	*no solo..., sino...*
	because of	*a causa de / debido a*
	finally	*finalmente / por último*

wider range		
	on the one hand	*por un lado*
	on the other hand	*por otro lado*
	in the short term	*a corto plazo*
	in the long term	*a largo plazo*
	although	*aunque*
	which is why	*por eso*
	given that	*dado que*
	in fact	*de hecho*
	without a doubt	*sin duda*
	(mean)while	*mientras (tanto)*
	especially	*sobre todo*
	maybe	*quizás*
	of course	*por supuesto*
	fortunately	*afortunadamente / por suerte*
	unfortunately	*desafortunadamente / por desgracia*
	immediately	*enseguida*
	when it comes to	*en cuanto a*
	in conclusion	*en resumen*

These connecting words are followed by the subjunctive:

	as soon as	*en cuanto*
	until	*hasta que*
	so that	*para que*
	despite	*a pesar de que*
	the fact that	*el hecho de que*

Errores comunes de vocabulario del NM (SL)

Here is a list of vocabulary errors commonly found in SL exam papers. You'll find lots of what I call "panic words" which are literal renderings of English words with some sort of "Spanish" look about them or word-for-word translations. Hopefully, after reading this, you'll feel reassured that your Spanish isn't this bad. But if you spot any of your own common errors here then do highlight them and move swiftly on to the grammar section!

What you want to say	Common error	Correct Spanish
a few other things	un poco otros cosas	algunas otras cosas
a great opportunity	un grande oppurtunidad	una gran oportunidad
a mix of	un mixo de	una mezcla de
an individual	un individual	un individuo
another problem	un otro problema	otro problema
application	la applicación	la solicitud
as much	tanto mucho	tanto
at the moment	a momento	en este momento
because - starting sentences with "Because"	Porque de	Ya que / Como / Dado que / A causa de / Gracias a / Debido a
- because of this programme - because of humans - because I can dance	porque de este programa porque de los humanos porque yo puedo bailar	debido a este programa a causa de los humanos como puedo bailar
beneficial	beneficial	beneficioso
better / best	más bien / más mejor	mejor (que) / el mejor
call me!	me llama	llámame
charity	funda	una organización benéfica / ONG
disabilities	desabilidades	discapacidades
each other	cada otros	el uno al otro
economical	economical	económico
environment	environmento	el medio ambiente
eventually	eventualmente	al final
everywhere	todos donde	por todas partes
fifteen / sixteen	diez y cinco / diez y seis	quince / dieciséis
for a long time	por un tiempo largo	durante mucho tiempo
I am interested in	yo soy interesante en	me interesa
I know that	sabo que	sé que
I realise that	realizo que	me doy cuenta de que
I work well with other people	trabajo bueno con otro gente	trabajo bien con otros
I'm enthusiastic	estoy entusiastico	soy entusiasta
everyone	todas personas	todo el mundo
illnesses	enfermas	las enfermedades
improve	improbar	mejorar
in fact	en facto	de hecho
in order to	en orden de	para / para que (+ subjuntivo)
in our world	en nos mundo	en nuestro mundo
influential	influenciales	influyentes
is dead	es muerte	está muerto / muerta
it could work	puede trabajar	podría funcionar
it looks good	es mirar bien	tiene buen aspecto / me parece bien
it was cold	fue muy frío	hacía mucho frío
it was in need of help	fue en necesita de ayuda	necesitaba ayuda

it will be	va aser / va hacer	va a ser / será
it's necessary	es necesito / es necessario	es necesario / hace falta
it's about working together	es sobre trabajando juntos	se trata de trabajar juntos
large / big	largo	grande
last night	el nochepasado	anoche
lessons	lecciones	clases
location	locacion	la ubicación
manager	manajero	gerente
many people's lives	muchas persona's vidas	las vidas de mucha gente
maturity	el maturismo	la madurez
my college resumé	mi colegio resume	mi currículum
my grades	mis grados	mis notas
New York	nueveyork / New Yorke	Nueva York
now is the time	ahora es el tiempo	ahora es el momento
often	muchos tiempos	muchas veces / a menudo
on Mondays	en lunes	los lunes
passionate	pasionato	apasionado
people like	personas se gustan	a la gente le gusta
pictures	picturas	fotos / dibujos (drawings) / cuadros (paintings)
population	el populacion	la población
self confidence	la confidencia	la seguridad en sí mismo
success	succeso	éxito
Summer / Winter	Vierno	verano / invierno
thank you for reading my letter	gracias para leyendo mi letra	gracias por leer mi carta
the first time	el primer tiempo	la primera vez
the main theme	la tema principale	el tema principal
the majority	la mayoridad	la mayoría
the only thing	la sola cosa	lo único
the surface	el surface	la superficie
they decrease	decrecen	disminuyen
they support me	me soportan	me apoyan
to be in good health	estar con bueno sano	tener buena salud
to be involved in	ser involver en	estar involucrado en
to fix problems	fijar problemas	arreglar problemas / encontrar soluciones
to graduate	graduar	licenciarse
to have a good time	tener un buen tiempo	pasárselo bien / divertirse
I have a great time	tengo un gran tiempo	me lo paso muy bien / me divierto / disfruto
to help them	ayudar ellos	ayudarles
to impress people	impresar a las personas	impresionar a la gente
to make the most of / to take advantage of	hacer el mejor de / tomar advantaje de	aprovecharse de / sacar provecho de
to perform	performar	actuar
to prevent	preventar	prevenir
to promote	promotar	promover
to refuse	refusar	negarse a
to research	resercher	investigar
to spend time	gastar tiempo	pasar tiempo
topics / issues	topicos	temas / asuntos
two months ago	dos meses en el pasado	hace dos meses
we look different	miramos diferente	parecemos diferentes
when	quando	cuando
with me / with you	con mi / con sus	conmigo / contigo
without	con no	sin
you won't regret it	no lo regretarás	no te arrepentirás

Vocabulario literario esencial de NS (HL)

This essential glossary contains all the trickiest vocabulary which has come up in past Paper 1 literary texts as well some other suggestions. It might look daunting and you won't learn them all in one day. The good news is that you will not be expected to use any of these words, but it will definitely help if you can recognise them.

abajar juntos

mucha gente

- A -
acantilado – *cliff*
acariciar – *to caress*
acurrucarse – *to curl up*
adivinar – *to guess*
afán – *diligence, desire*
aguardar = esperar – *to wait for*
agujero – *hole*
ahogarse – *to drown, suffocate*
alba – *dawn*
con alborozo – *with sheer joy*
alma – *soul*
amanecer – *sunrise*
amparar = cobijar – *to shelter, protect*
anacrónico – *anachronistic*
analfabeto – *illiterate*
anhelar – *to desire vehemently*
apoderarse de – *to seize control of*
apurar = apresurar – *to hasten*
arrastrar – *to drag*
arrodillarse – *to kneel*
arrojar = lanzar = echar – *to throw, hurl*
arroyo – *stream, brook*
arruinar – *to ruin, spoil, bankrupt*
atar – *to tie up*
atardecer – *sunset*
atemorizar – *to frighten*
atreverse a – *to dare to*
atónito – *amazed, astonished*
buen/mal augurio – *good/bad omen*
avergonzado – *ashamed, embarrassed*
azahar – *orange blossom (virginity symbol)*

- B -
balbucear – *to stammer*
barajar – *to consider other possibilities (also to shuffle cards)*
bullicio – *noise, hustle and bustle*

- C -
casualidad – *coincidence, chance*
caudaloso – *plentiful (eg: river)*
cielo – *sky, heaven*
cigüeña – *stork*
cólera, la – *anger*
contemplar – *to contemplate*
crepúsculo – *twilight or dusk*
en cuclillas – *to squat, crouch*
cuna – *cradle*

- D -
deleitarse – *to delight in*
deleite – *placer*
desamparado – *forsaken, abandoned*
pasar desapercebido – *to go unnoticed*
desazón – *anxiety, uneasiness*
desgraciado – *wretched*
deslumbarar – *to dazzle*
despedirse de – *to say goodbye*
desperezarse – *to stretch (your limbs)*
disculpar – *to excuse*
disfrazado – *disguised, dressed up*
disimular – *to pretend, conceal*
don – *talent, gift*
dueño – *owner*

- E -
embriaguez – *drunkeness*
empeñarse en – *to insist, persist*
enaguas – *petticoat*
enamorarse de alguien – *to fall in love*
enajenar – *to drive crazy, alienate*
endiablado – *possessed, perverse*
engañar – *to deceive*
enloquecedor – *maddening*
enojo – *anger*
enredarse – *to get entangled*
enrojecer – *to blush*
ensimismamiento – *self absorption*
envenenado – *poisoned*
envidioso – *envious*
erguirse – *to sit/stand up straight*
erizar – *to make stand on end*
esconder – *to hide*
a escondidas – *secretly*
escudriñar – *to scrutinize*
estremecer – *to make...tremble*
exigir – *to demand*
extenuado – *exhausted*

- F -
fatigar – *to tire out*
florecer – *to bloom, blossom*
forastero – *outsider, stranger*
frotar los ojos – *to rub one's eyes*
fusilar = disparar – *to shoot, execute*

- G -
gemir – *to moan*
guiñar – *to wink*

- H -

hallar(se) – *to find (oneself) somewhere*
hallazgo – *a great find*
hazaña – *feat, achievement, prank*
hervidero – *swarm, hotbed*
holgazán – *lazybones, layabout*
hosco – *sullen, moody*
huérfano – *orphan*
huir – *to flee*
hundirse – *to drown, go under*
hacer ilusión – *to be looking forward to*

- I -

indagar – *to investigate*
ingenioso – *ingenious, witty*
inquieto – *restless, anxious*
insólito – *unheard of, most unusual*
intrépido – *intrepid*
inverosímil – *implausible*
irrumpir en – *to burst in*

- J -

juguetón – *playful*
jurar – *to swear*

- L -

lanzar – *to throw, to launch (a record)*
largarse – *to get out as fast as possible*
lástima – *pity*
a tres leguas – *about 10 miles*
lejano – *far away*
pedir limosna – *to beg*
llamativo – *striking, eye-catching*

- M -

maldecir – *to curse*
malvado – *wicked*
manso – *smooth, gentle, calm*
manzana – *block of houses (or apple)*
marchitar – *to wither or fade away*
mayordomo – *butler*
mendigo – *beggar*
menosprecio – *contempt*
mezquino – *stingy, miserly*
misericordia – *mercy*
mugriento – *filthy*

- O -

oración – *prayer (or sentence)*
ombligo – *bellybutton, the centre*
a orillas de – *on the shore, bank of*
oscurecer – *to get dark*

- P -

padecer – *to suffer*
parir – *to give birth to*
parpadear – *to blink, bat your eyelashes*
pecado – *sin*
en la penumbra – *in semidarkness*
piedad – *piety, devotion, mercy*

pisotear – *to trample over*
plegaria – *humble and fervent begging*
potenciar – *to strengthen, promote*
praderas – *meadows, prairies*
privarse de algo – *to deprive oneself of*
puñetazo – *punch*

- Q -

querella – *dispute*

- R -

rabia – *rage*
rasgos – *traits*
recelo – *suspicion, distrust, fear*
a regañadientes – *reluctantly, grudgingly*
relámpago – *lightening*
rememorar = recordar – *to remember*
resplandor – *radiance, brilliant light*
resbalar – *to slip, skid*
rezar – *to pray*
risueño – *cheerful, provokes joy*
rodear – *to surround*
rozar – *to brush past*
rumbo – *in the direction of*

- S -

sacudir – *to shake out*
saltimbanqui – *acrobat*
santiguarse – *to cross one-self*
sembrar – *to sow seeds*
semejante – *such, similar*
sigiloso – *quiet*
soberbio – *proud, mighty*
sobresalto – *something that startles*
soñoliento / somnoliento – *sleepy*
sordomudo – *deaf and dumb*
susurrar – *to whisper*

- T -

tartamudear – *to stutter*
temporal / tempestad – *storm, rainy spell*
tinieblas – *darkness, shadows*
torpeza – *blunder, clumsiness*
tragar – *to swallow*
tropezar con – *to stumble upon*
tumbarse – *to lie down*
turbar – *to disturb, unsettle*

- V -

valeroso – *brave, noble*
varón – *male (hembra – female)*
venturoso – *happy, fortunate*
viuda – *widow*

- Y -

yacer – *to be lying, reclining*

- Z -

zambullirse – *to plunge in, immerse oneself*
zozobra – *anxiety*

Grammar

In this section I am not going to go through a systematic overview of grammar, as you have probably done this with your teacher and you can find it in any grammar book. Instead, I am only going to focus on those aspects of language that IB examiners repeatedly highlight as problematic. Firstly, let's tackle **Basic Errors**, as these are evident at HL as well as SL. Then we'll look at what is meant by **Complex Structures**. Once you have studied the grammar, try the translation questions at the end.

Basic errors

It is the same errors that come up again and again that cost students higher grades:

1. **Interference from English**
2. **Agreements**
3. **Gustar**
4. **Por / para, pero / sino, and verbs that take prepositions**
5. **Confusion between pairs of verbs that mean similar things**
6. **Accents**

Complex structures

The assessment criteria for writing refer to the "clear" and "effective" use of "complex structures". However, it is important to note that there is no prescribed grammar list for the IB course and no definition anywhere in the syllabus of what is considered a "complex structure". So here are the aspects of Spanish that I would consider to be complex at SL and HL, and the key is to aim for variety. Remember that the examiners want you to succeed and you will get more marks for attempting to use complex structures, even if you get them wrong, than for not trying at all.

1. **Subordinate clauses**
2. **Using the subjunctive**
    - **4 key structures & 8 key verbs in the present subjunctive**
    - **A wider variety of structures & using the present / imperfect subjunctive**
    - **Using the subjunctive to express a future idea**
    - **Indefinite antecedent**
    - **'Si' clauses**
    - **Perfect subjunctive**
3. **Verb tables: indicative & subjunctive**
4. **Trouble recognising tenses**
5. **Moving between different time frames in the same sentence**
6. **Using the gerund**
7. **Using relatives**
8. **Avoiding the passive voice**
9. **Common expressions of time**
10. **Using negatives**
11. **Using 'lo'**
12. **'Le' or 'se'?**

Basic errors

1. Interference from English

A large number of IB candidates have English as their native language, or IB working language, and the interference from English is a huge issue in Spanish B in the following ways:

- **spelling**

Double letters: there is <u>no</u> double *ff*, *mm*, *ss*, *tt* in Spanish, so watch out for these:

    ~~differente~~ > diferente   ~~difficil~~ > difícil   ~~programma~~ > programa

    ~~possible~~ > posible   ~~necessario~~ > necesario   ~~attention~~ > atención

The *only* letters in Spanish that can be double are the consonants in the name CaRoLiNa:

    CC – acción, dirección, diccionario, acceso (sounds a bit like a<u>cc</u>ent or a<u>cc</u>ident)

    RR – carro, cerrar, guitarra, aburrido

    LL – llamar, amarillo, llaves, llegar

    NN – innovador, innecesario, innato

ph – there is <u>no</u> *ph* in Spanish, so the following words are spelled with an *f*:

    teléfono, fenómeno, filosofía, físico

"-tion" in English becomes "-ción" in Spanish

    administración, comunicación, educación, organización

- **idiomatic expressions translated word for word**

to have a good time	~~tener un buen tiempo~~ → pasarlo bien ("vamos a pasarlo bien")
to have fun	~~tener divertido~~ → divertirse ("vamos a divertirnos")
to make a difference	~~hacer una diferencia~~ → causar un impacto positivo
the only thing I know	~~la sola cosa que sé~~ → lo único que sé
it's worth it	~~es vale lo~~ → vale la pena

- **word order in general**

Because of his condition, working with Jason is sometimes difficult.
~~Porque de~~ su enfermedad, ~~trabajando con Jason es a veces difícil.~~
<u>A causa de</u>   a veces es difícil <u>trabajar</u> con Jason.

> You can't <u>start</u> a sentence in Spanish with *Porque*. Use *Como, Ya que, Dado que, A Causa de, Debido a*

It's important for you and the kids you are friends with.
Es importante para ~~tú y los niños tú eres amigos con.~~
               ti y los niños <u>quiénes</u> son tus amigos."

> You can't <u>end</u> a sentence with a *preposition* in Spanish – see section on Relatives

It would be better to do this instead.
Sería mejor hacer esto ~~en vez.~~
En vez de hacer aquello, sería mejor hacer esto.

> You can't <u>end</u> a sentence in Spanish with *instead*. Rephrase, starting with *Instead*.

2. Agreements

It's not just **adjectives** that need to agree with nouns in number and gender, but also **articles**, **verbs** (in number) and **pronouns**:

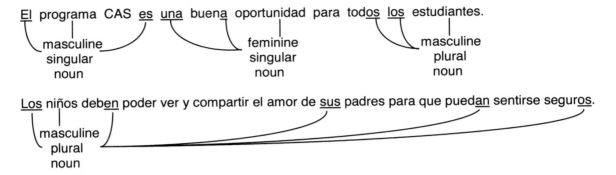

El programa CAS <u>es</u> <u>una</u> buen<u>a</u> oportunidad para tod<u>os</u> <u>los</u> estudiantes.

masculine singular noun   feminine singular noun   masculine plural noun

<u>Los</u> niños deb<u>en</u> poder ver y compartir el amor de <u>sus</u> padres para que pued<u>an</u> sentirse segur<u>os</u>.

masculine plural noun

3. Gustar

Gustar is an impersonal verb. It is <u>not</u> the same as a reflexive verb. The 3rd person singular and plural pronoun is *le* or *les*, never *se*. Reflexive verbs conjugate as usual but impersonal verbs are usually only used in the 3rd person singular or plural:

IMPERSONAL VERBS			REFLEXIVE VERBS		
me	gust<u>a</u> / gust<u>an</u>	*I like it / them*	**me**	levant<u>o</u>	*I get up*
te	gust<u>a</u> / gust<u>an</u>	*you like it / them*	**te**	levant<u>as</u>	*you get up*
(le)	gust<u>a</u> / gust<u>an</u>	*he likes it / them*	**(se)**	levant<u>a</u>	*he gets up*
nos	gust<u>a</u> / gust<u>an</u>	*we like it / them*	**nos**	levant<u>amos</u>	*we get up*
os	gust<u>a</u> / gust<u>an</u>	*you like it / them*	**os**	levant<u>áis</u>	*you get up*
(les)	gust<u>a</u> / gust<u>an</u>	*they like it / them*	**(se)**	levant<u>an</u>	*they get up*

ending only changes according to whether thing liked is singular or plural

normal verb endings

- **Try to use gustar in tenses other than the present:**

preterite	*I didn't like the film*	la película no me gustó
imperfect	*I used to like swimming*	antes me gustaba nadar
future	*people will like it*	a la gente le gustará
conditional	*your sister would like it*	a tu hermana le gustaría
present subjunctive	*it's a shame you don't like it*	es una lástima que no te guste
imperfect subjunctive	*I didn't think I'd like it*	no creía que me gustara/gustase
pluperfect subjunctive	*I would have liked to go*	me hubiera/hubiese gustado ir

- **Key verbs that work like *gustar* are *parecer*** (to seem) **and *interesar*** (to interest)

➢ <u>Me parece que</u> la causa de las tensiones entre estudiantes es la cantidad de deberes, pero a las autoridades no <u>les parece</u> que sea cierto y solo critican a los estudiantes.
➢ A los jóvenes <u>les interesa</u> más investigar por internet que ir a la biblioteca.
➢ Lo que <u>me interesa</u> es la manera en que el concepto de belleza ha cambiado.

4. *Por / para, pero / sino*, and verbs that take prepositions

The most common prepositions that cause trouble are ***por & para*** and ***pero & sino***, but you also need to learn **which verbs take which prepositions**, and **where to put the preposition** if it gets split up from its verb.

- ***Por & para*** - This is one of the hardest things to get right in Spanish!

Por for, in exchange of, per, through, by, via, because of	Para for, purpose, in order to, destination
• **Why?** = *¿Por qué?*	• **For what purpose?** = *¿Para qué?*
• **Exchange – thanks, money** *Gracias por el regalo.* *Pagué 15 pesos por el libro.*	• **Destination** *El regalo es para mi madre.* *Fumar es malo para la salud.*
• **Per, time** *Voy al gimnasio tres veces por semana.* But: *Estudié <u>durante</u> 5 horas sin parar.*	• **Purpose** *Este mando es para el televisor.*
• **Cause, reason** *Perdieron por no jugar bien.* *El gato murió por falta de comida.*	• **In order to (followed by infinitive)** *Para ir a Madrid, hay que coger el tren.* *Hace falta vino para hacer una sangría.* *Estudio para sacar buenas notas.*
• **Through, via** *Pasamos por un túnel muy largo.* *Pasamos por Francia para llegar a España.*	• **Deadlines** *Los deberes son para el lunes.*
• **By – transport, communication** *Hablamos por teléfono.* *Fui por vía aérea.*	• **Contrast from expectation** *Gana mucho dinero para ser tan joven.*
• **Passive voice** *El cuadro fue pintado por Picasso.*	
• **Errands, messages** *Voy a por pan.* (= I'm off to get bread) *La vecina preguntó por ti ayer.*	
• **For, on behalf of, in favour of** *Voy a votar por el Partido Verde.* *Hay que luchar por los derechos humanos.*	

• **Set phrases using *por***			
por allí	around there	*por lo general*	in general
por casualidad	by chance	*por lo menos*	at least
por cierto	by the way	*por lo tanto*	therefore
por el contrario	on the contrary	*por ningún lado*	nowhere
por eso	for that reason	*por si acaso*	just in case
por favor	please	*por suerte*	luckily
por fin	finally	*por supuesto*	of course
por la noche	at night	*por todas partes*	everywhere

- **Pero & sino**

¿sólo or solo? - see Accents

Pero always means "but". **Sino** is often used after **no solo** or **no,** in "not this, but that" type sentences, and can also mean "on the contrary", "but rather" or "but instead":

---

*En Sevilla, si se quiere **no solo** pasear, **sino (también)** empaparse del auténtico espíritu sevillano, el lugar perfecto es la calle Sierpes.*

*Según los especialistas, es frecuente que el dolor lumbar **no** se deba a una enfermedad de la columna vertebral, **sino** a un mal funcionamiento de la musculatura de la espalda.*

- ## Verbs that take prepositions don't always take the preposition you might expect

asistir **a**	to attend	a la izquierda **de**	on the left of
acercarse **a**	to get close to	acabar **de**	to have just done
aconsejar **a**	to advise someone	arrepentirse **de**	to regret
acostumbrarse **a**	to get used to	dejar **de**	to stop (eg smoking)
contrubuir **a**	to contribute to	despedirse **de**	to say goodbye to
caer **al** suelo	to fall on the floor	encargarse **de**	to take charge of
comenzar **a**	to start to	enterarse **de**	to find out about
empezar **a**	to begin to	hablar **de**	to talk about
estar **a** favor de	to be in favour of	tratar **de**	to try to / to be about
llegar **a**	to arrive somewhere		
matar **a**	to kill someone	insistir **en**	to insist upon
volver **a** hacer algo	to do something again	tardar **en**	to be late in
		esforzarse **en**	to make an effort to
comparar **con**	to compare to	estar **en** contra de	to be against
casarse **con**	to marry	participar **en**	to participate in
hablar **con** alguien	to talk to someone	pensar **en**	to think about
soñar **con**	to dream about		
		luchar **por / contra**	to fight for / against
		hablar **por** teléfono	to talk on the phone

Sometimes the preposition gets spilt up from its verb, for example, when asking a question or when part of a relative clause. Remember, never end a sentence with a preposition!

Who were you talking <u>to</u>?	¿~~Quién hablabas con~~?
	¿<u>Con</u> quién hablabas?
The last thing I want to talk <u>about</u> is...	~~La última cosa que quiero hablar de es~~...
	La última cosa <u>de la</u> que quiero hablar es...
One of the activities I participated <u>in</u>	~~Una de las actividades que yo participé en~~...
	Una de las actividades <u>en</u> que participé...
The conditions that people live <u>in</u>	~~Las condiciones que la gente vive en~~...
	Las condiciones <u>en</u> que vive la gente...

5. Confusion between verbs that mean similar things

- **Ser & estar, ser & haber**

The differences between these verbs are very tricky to master.

ser	*to be*	estar
what it is, innate characteristics, nationality	⟵⟶	where it is, feelings, temporary states

ser	*to be*	haber
<u>it</u> is = es <u>it</u> has been = ha sido	⟵⟶	<u>there</u> is / there are = hay <u>there</u> have been = ha habido

They particularly cause a problem in past tenses:

it **was** a success	**fue** un éxito	*(characteristic = ser)*
it **was** already late	ya **era** tarde	*(time = ser)*
I **was** on my own	**estaba** sola	*(in a figurative "place" = estar)*
I **was** wrong	**estaba** equivocada	*(temporary state = estar)*
it **was** hot	**hacía** calor	*(weather = usually hacer)*
there **was** a problem	**hubo/había** un problema	*(there was / were = haber)*
there **were** lots of problems	**hubo/había** muchos problemas	*(there was / were = haber)*
there **have been** changes	**ha habido** cambios	*(there have been = haber)*

- **more pairs of verbs that cause confusion**

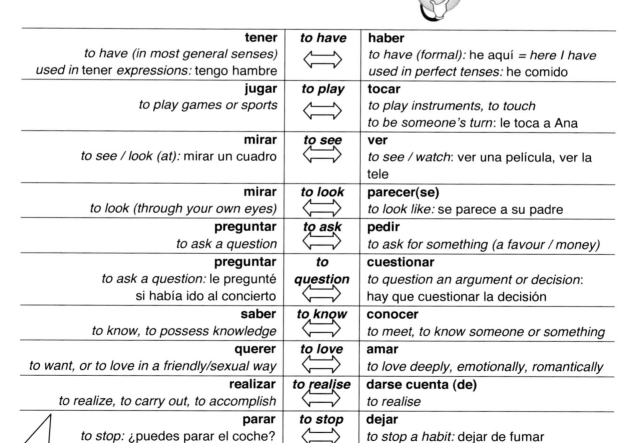

tener	*to have*	haber
to have (in most general senses) used in tener *expressions:* tengo hambre	⟵⟶	to have (formal): he aquí = *here I have* used in perfect tenses: he comido
jugar	*to play*	tocar
to play games or sports	⟵⟶	to play instruments, to touch to be someone's turn: le toca a Ana
mirar	*to see*	ver
to see / look (at): mirar un cuadro	⟵⟶	to see / watch: ver una película, ver la tele
mirar	*to look*	parecer(se)
to look (through your own eyes)	⟵⟶	to look like: se parece a su padre
preguntar	*to ask*	pedir
to ask a question	⟵⟶	to ask for something (a favour / money)
preguntar	*to question*	cuestionar
to ask a question: le pregunté si había ido al concierto	⟵⟶	to question an argument or decision: hay que cuestionar la decisión
saber	*to know*	conocer
to know, to possess knowledge	⟵⟶	to meet, to know someone or something
querer	*to love*	amar
to want, or to love in a friendly/sexual way	⟵⟶	to love deeply, emotionally, romantically
realizar	*to realise*	darse cuenta (de)
to realize, to carry out, to accomplish	⟵⟶	to realise
parar	*to stop*	dejar
to stop: ¿puedes parar el coche?	⟵⟶	to stop a habit: dejar de fumar to leave/allow/let: déjame en paz; mis padres no me dejan salir

UK = realise/realize
US = realize

6. Accents

- The accent is called a *tilde* and is always acute, which means it goes up: **á é í ó ú**

- You can only have one *tilde* on a word, and it only goes on vowels.

- **ñ** – the squiggle on the 'n' is called a *virgulilla* and sounds like 'ny': ***español, España***

- **ü** – the *u con diéresis* is a rare accent used only with *g+ue* or *g+ui*, when you want to pronounce the "u" eg: ***ambigüedad, vergüenza, pingüino.*** You don't pronoune the "u" in ***águila, guía.***

- Accents differentiate certain monosyllabic words that are otherwise spelled the same:

sí = yes	*él* = he	*mí* = me	*té* = tea	*dé* = subjunctive of dar
si = if	*el* = the	*mi* = my	*te* = object pronoun	*de* = of

- Relative conjunctions used as direct or indirect questions, or nouns, take an accent:

  Relative conjunction: *que* = that   *cuando* = when   *porque* = because

  Direct question: *¿qué?* = what?   *¿cuándo?* = when?   *¿por qué?* = why?

  Indirect question: *Le pregunté qué quería.* = I asked him what he wanted.

  Noun: *No sabía qué hacer.* = I didn't know what to do.

- In 2010, the ***Real Academia Española*** removed the accent from ***sólo***, which means that ***solo*** now means both 'alone' and 'only'. The accent was also removed from the demonstrative pronouns ***este*** (this one), ***ese*** (that one), and ***aquel*** (that one). Hooray!

- Basic rules for accents – Spanish words are categorized according to which syllable the stress falls:

  > - ***Aguda:*** Words that have a natural stress on the **last** syllable. If they end in a **consonant** (but not **-n** or **-s**), they do not have a written accent: ciu-<u>dad</u> / le-<u>gal</u>. If they end in a vowel, **-n** or **-s**, they do have a written accent: com-<u>pré</u> / com-<u>ió</u>, and words ending -<u>ción</u> or -<u>sión</u>.
  >
  > - ***Llana:*** Words that are stressed on the **penultimate** (second to last) syllable. If they end in a **vowel** (a, e, i, o, u), **-n** or **-s**, they do not have a written accent: ca-<u>mi</u>-no / es-<u>cri</u>-ben. If they end in any other consonant, they do have a written accent: <u>cár</u>-cel / <u>fá</u>-cil.
  >
  > - ***Esdrújula:*** Words that are stressed on an earlier syllable always have a written accent: fe-<u>nó</u>-me-no, pro-<u>pó</u>-si-to. If the addition of pronouns makes a verb longer (and so it becomes ***esdrújula***), you need to add an accent in order to respect the original stress: <u>da</u> (give) but <u>dá</u>-me-lo (give it to me) / es-<u>cri</u>-be (write) but es-<u>crí</u>-be-me (write to me).

- If rules are too much for you to take in, just learn where to put the accent on the most frequent words you might want to use.

✓ tamb<u>ié</u>n	✓ pl<u>á</u>stico	✓ atm<u>ó</u>sfera
✓ pel<u>í</u>cula	✓ opc<u>ió</u>n	✓ ¿C<u>ó</u>mo est<u>á</u>n?
✓ r<u>á</u>pidamente	✓ j<u>ó</u>venes	✓ aqu<u>í</u>
✓ profes<u>ió</u>n	✓ fant<u>á</u>stico	✓ introducc<u>ió</u>n
✓ yo s<u>é</u>	✓ m<u>ú</u>sica	✓ ex<u>á</u>menes

Grammar exercises 1 – Basic Errors

Translate these sentences and pay particular attention to spotting Basic Errors before you start:

1. It's possible to watch different kinds of programme on satellite television.

....

....

2. I didn't like the music they were playing at the party.

....

3. Some people think that the only thing young people want is to have fun.

....

....

4. Television is not only entertaining but also educational.

....

5. Because of the changes, the students are not happy.

....

6. You (*tú*) should stop smoking as it's bad for your health.

....

7. If you (*tú*) can't do it, it would be a good idea to ask for help.

....

8. It's important to think about the future.

....

9. There is so much rubbish everywhere, it looks like there has been a party.

....

....

10. The event was a success and I'd like to organise it again next year.

....

....

Complex structures

1. Subordinate clauses

- We can't talk about complex structures without talking about subordinate clauses. In grammar we have clauses and sentences. **A subordinate clause adds extra information** to the sentence and cannot stand alone. It is often introduced by a relative, such as *que*:

*Un estudiante perdió su portátil, **que** valía 500 euros, al dejarlo en la estación.*

subordinate clause

- English favours quite short sentences. But **Spanish favours long sentences**, full of subordinate clauses, separated by comas and linked with connecting words and relatives. The following sentence would not be considered good style if translated word for word into English, but in Spanish it is perfectly acceptable:

que introducing subjunctive clause:
indefinite antecedent - *les cuide*

Relative

*Los estudiantes han decidido adoptar algunas medidas nuevas para mejorar la integración de los alumnos de otros países, **que** incluyen: fomentar los conocimientos de sus culturas durante las clases, invitarles a practicar el deporte y emparejarles con un "amigo" **que les cuide**, con las cuales se espera mejorar no solo su autoestima, sino también los conflictos **que** ha habido en los últimos meses.*

relative (agreeing with *medidas*)   connecting words

- **A subordinate clause depends on the main clause for meaning.** In Spanish, if you have 2 subjects in one sentence, the 1st is in the main clause, the 2nd is in the subordinate clause, which is almost always introduced by *que*. The verb attached to the 2nd subject is usually in the subjunctive. Whether you use the present or imperfect subjunctive depends on the tense of the main clause, but English won't help you spot this:

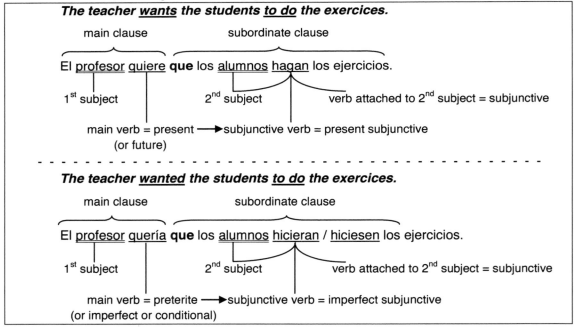

- **The key to gaining top language marks**, especially at HL, is to use longer sentences, with lots of clauses linked by connecting words and relatives, as well as subordinate clauses that use the subjunctive.

2. Using the subjunctive

•   **4 key subjunctive structures and 8 key verbs in the present subjunctive**

It is so important to remember that while there are dozens and dozens of subjunctive structures you could learn, *you only need a few* to get high language marks. At SL Paper 2, to get 9-10 for language, "some complex structures are used clearly and effectively". The key word is "some". Therefore, I recommend that you focus on a small number of effective structures that you can use in any text, with any topic, before giving you some suggestions if you want to take the subjunctive further.

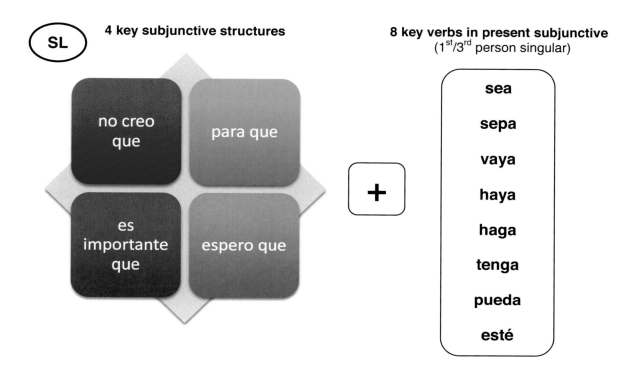

| SL | **4 key subjunctive structures** | **8 key verbs in present subjunctive** (1st/3rd person singular) |

4 key subjunctive structures:
- no creo que
- para que
- es importante que
- espero que

+

8 key verbs in present subjunctive (1st/3rd person singular):
- sea
- sepa
- vaya
- haya
- haga
- tenga
- pueda
- esté

✓   <u>No creo que</u> los jóvenes **sepan** qué peligros conllevan las redes sociales.
    I don't think that young people know about the dangers of social networking.

✓   Hay que concienciar a la gente <u>para que</u> **vaya** a la protesta.
    We have to raise awareness among people so that they go to the protest.

✓   <u>Es importante que</u> el gobierno **haga** algo.
    It's important that the government does something.

✓   <u>Es importante que</u> los estudiantes **tengan** la información <u>para que</u> **puedan** tomar decisiones.
    It's important for students to have the information so that they can make decisions.

✓   <u>Espero que</u> **sea** útil esta información.
    I hope that this information is useful.

- ## A wider variety of subjunctive structures

For HL Paper 2, to get 5-6 out of 10 for Language, "simple sentence structures are used clearly", for 7-8, "*some* complex structures are used clearly and effectively", while for 9-10, "complex structures are used clearly and effectively". In the Individual Oral, for 9-10 out of 10, language should be "varied". This range of structures would count towards excellent variety.

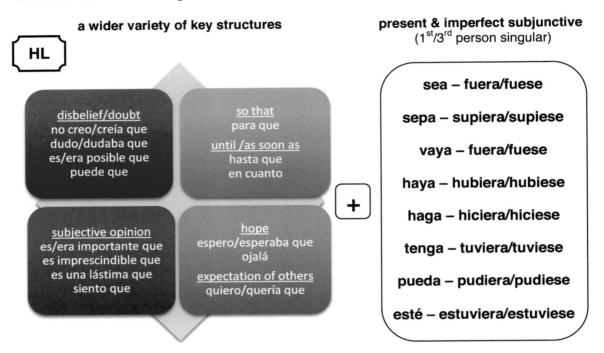

a wider variety of key structures

HL

disbelief/doubt	so that
no creo/creía que	para que
dudo/dudaba que	until /as soon as
es/era posible que	hasta que
puede que	en cuanto

subjective opinion	hope
es/era importante que	espero/esperaba que
es imprescindible que	ojalá
es una lástima que	expectation of others
siento que	quiero/quería que

+

present & imperfect subjunctive
(1ˢᵗ/3ʳᵈ person singular)

sea – fuera/fuese

sepa – supiera/supiese

vaya – fuera/fuese

haya – hubiera/hubiese

haga – hiciera/hiciese

tenga – tuviera/tuviese

pueda – pudiera/pudiese

esté – estuviera/estuviese

Try learning key structures in pairs, with a present and imperfect subjunctive version:

no creo que vaya
no creía que fuera/se

para que sepa
para que supiera/se

hasta que tenga
hasta que tuviera/se

dudo que haga
dudaba que hiciera/se

siento que no haya
sentía que no hubiera/se

ojalá pueda
ojalá pudiera/se

es importante que sea
era importante que fuera/se

espero que pueda
esperaba que pudiera/se

quiero que esté
quería que estuviera/se

✓ Uso mi portátil para hacer los deberes pero lo uso en el salón <u>para que</u> mis padres **sepan** que no estoy perdiendo el tiempo con juegos y redes sociales.

✓ <u>Ojalá</u> **pudiera/pudiese** hablar con mis padres, pero solo les interesan mis notas del colegio.

✓ Para resolver el conflicto <u>era imprescindible que</u> el gobierno **hiciera/hiciese** algo.

✓ <u>No quería que</u> mis padres **tuvieran/tuviesen** que pagar mis estudios, por eso trabajo en una tienda.

✓ <u>Puede que</u> **haya** muchas razones para el cambio, pero no estoy de acuerdo.

✓ La película era buena, pero <u>es una lástima que</u> los actores **fueran/fuesen** tan malos.

✓ <u>Es posible que </u>los conflictos entre los adolescentes y sus padres **sean** a causa del estrés.

- **Using the subjunctive to express a future idea (even in the past)**

> **cuando:** *when*

Cuando **voy** a México, siempre celebro el Día de los Muertos.
"When I go..." – this is what I usually do = fact.

Cuando **vaya** a México, espero que **tenga** la oportunidad de ir a una fiesta típica.
"When I go...I hope I have..." – I haven't been yet, so these are hopes for the future = subjunctive.

Cuando **fui** a México, quería ir a una fiesta, pero al final no tuve tiempo.
"When I went..." = fact.

Mi padre me dijo que cuando **fuéramos** a México, iríamos a una fiesta típica.
"...that when we went..." – we hadn't yet been at the time of reference = subjunctive.

> **en cuanto:** *as soon as*

En cuanto **sepa** mis resultados, voy a celebrarlo con mis amigos. *"As soon as I know..."*

En cuanto **supe** la verdad, llamé a mi amiga para pedirle perdón. *"As soon as I knew..."*

Voy a ir a España en cuanto **pueda**. *"...as soon as I can."*

> **hasta que:** *until*

No voy a poder conducir un coche hasta que **tenga** 18 años. *"...until I am..."*

Mis padres me dijeron que no podía conducir un coche hasta que **tuviera/tuviese** 18 años.
*"...until I was..." Although the action has happened, **hasta que** always takes the subjunctive, so if the sentence is in the past, use the imperfect subjunctive.*

> **antes de que:** *before*

Antes de que **vaya** a la universidad, tengo que aprobar mis exámenes. *"Before I go..."*

Antes de ir a la universidad, tengo que aprobar mis exámenes. *"Before going..." (no **que**)*

Tenemos que reducir la contaminación ambiental antes de que **sea** demasiado tarde. *"...before it is too late."*

> **después de que:** *after*

Después de que **vaya** a la India, escribiré mis impresiones en mi diario. *"After I go..."*

Después de que **terminen** los exámenes, voy a recorrer el mundo. *"After they finish..."*

Nada fue igual después de que mi padre **fuera/fuese** a Nueva York. *"After he went..."*

- ### 'Si' clauses (*si* = if)

'Si' clauses are all about **what will happen if...**, **what would happen if...**, or **what would have happened if...** The range of 'si' clauses allows you to express how realistic the idea is. In all these examples, you could swap the clauses round, as the 'si' actually introduces the subordinate clause, not the main clause (eg: Si pudiera, iría a México = Iría a México si pudiera.)

realistic

si + present + future
Si saco un 7 en español, ¡estaré tan contento!
If a get a 7 in Spanish I will be so happy!

wishful

si + imperfect subjunctive + conditional
Si pudiera, iría a México para practicar mi español.
If I could, I'd go to Mexico to practise my Spanish.

impossible to change as in the past

si + pluperfect subjunctive + conditional perfect
Si no hubiera tenido problemas el año pasado, habría sacado mejores notas.
If I hadn't had problems last year, I would have got better grades (but it's too late now)

- ### 'Como si' + imperfect subjunctive (as if / as though)

Mis padres me tratan <u>como si</u> **fuera** un niño.
My parents treat me as if I were a child.

Lo recuerdo <u>como si</u> **estuviera** allí.
I remember it as though I were there.

- ### Perfect subjuntive

For once, you use the perfect tense in Spanish in exactly the same way as in English. You simply switch to the **perfect *subjunctive*** after all the usual key structures:

- No nos **hemos visto** desde hace mucho tiempo.
  We haven't seen each other for a long time. No key structure = normal perfect tense

- <u>Es una lástima que</u> no nos **hayamos visto** desde hace tanto tiempo.
  It's a shame that we haven't seen each other for such a long time.

- <u>Espero que</u> **hayas tenido** un buen viaje y que **hayas visto** todo lo que querías.
  I hope you have had a good journey and that you've seen all you wanted to.

- ### Indefinite antecedent

This is a subtle use of the subjunctive, used when you are talking about someone or something you have in mind, but that is not a real or specific thing or person:

¿Hay alguien aquí que **hable** español?
Is there anyone here who speaks Spanish? (Someone? Anyone?)

Quiero ir a un país donde **haga** calor.
I want to go to a hot country. (A country, <u>any</u> country that is hot, but no country in particular)

El viajero que **quiera** aprovechar el día debería madrugar para no encontrar cola.
The traveller wishing to get the most out of the day should get up early to avoid queues.
(a hypothetical traveller)

3. Verb tables: indicative & subjunctive

• Subjunctive verb forms and their equivalents

After revising the subjunctive in isolation, you need to visualise how it relates to the indicative. This is because subjunctive forms don't translate as different tenses, they merely replace indicative tenses if the structure of your sentence demands it. There are fewer main subjunctive tenses than indicative tenses: only 2. The **present subjunctive** replaces the present or future, while the **imperfect subjunctive** replaces the imperfect, the preterite and the conditional. You can also convert perfect tenses, continuous (progressive) tenses as well as other verbal structures into the subjunctive too. To show you all the equivalents clearly, I am just going to use the **3rd person singular (él or usted)** form of the verb **ir** *(to go)*. In the next table, I have given you the full conjugations of each tense for the verb **ser** *(to be)*.

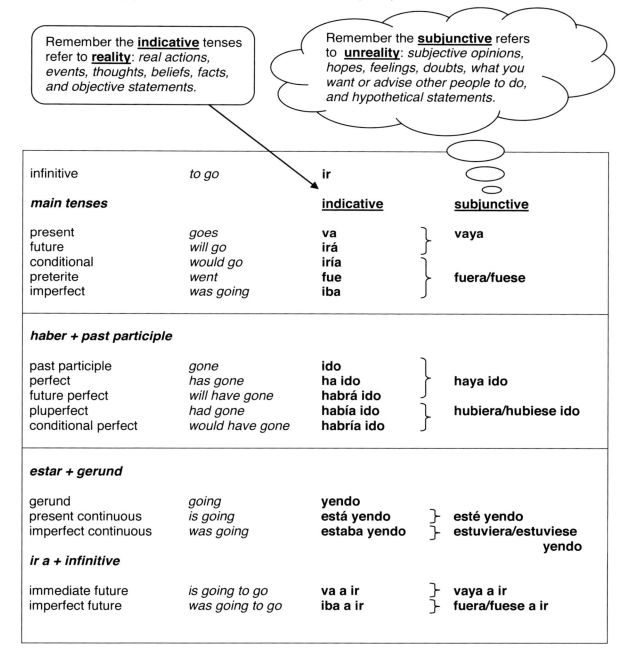

Remember the **indicative** tenses refer to **reality**: *real actions, events, thoughts, beliefs, facts, and objective statements.*

Remember the **subjunctive** refers to **unreality**: *subjective opinions, hopes, feelings, doubts, what you want or advise other people to do, and hypothetical statements.*

infinitive	*to go*	ir	subjunctive
main tenses		**indicative**	**subjunctive**
present	*goes*	**va**	**vaya**
future	*will go*	**irá**	
conditional	*would go*	**iría**	
preterite	*went*	**fue**	**fuera/fuese**
imperfect	*was going*	**iba**	

haber + past participle			
past participle	*gone*	**ido**	
perfect	*has gone*	**ha ido**	**haya ido**
future perfect	*will have gone*	**habrá ido**	
pluperfect	*had gone*	**había ido**	**hubiera/hubiese ido**
conditional perfect	*would have gone*	**habría ido**	

estar + gerund			
gerund	*going*	**yendo**	
present continuous	*is going*	**está yendo**	**esté yendo**
imperfect continuous	*was going*	**estaba yendo**	**estuviera/estuviese yendo**

ir a + infinitive			
immediate future	*is going to go*	**va a ir**	**vaya a ir**
imperfect future	*was going to go*	**iba a ir**	**fuera/fuese a ir**

- **Full conjugations of *ser* (to be) with subjunctive equivalents**

As I said, the subjunctive doesn't translate as different tenses, it merely replaces the normal tenses when the sentence demands it, eg: in a subordinate clause, after one of the key structures (eg: *no creo que*), or after a future conjunction (eg: *cuando*).

presente	futuro		presente de subjuntivo
soy	seré		sea
eres	serás		seas
es	será		sea
somos	seremos		seamos
sois	seréis		seáis
son	serán		sean
es fácil	será fácil		dudo que sea fácil
it is easy	*it will be easy*		*I doubt it is/will be easy*

pretérito	imperfecto	condicional	imperfecto de subjuntivo* *2 forms, no difference*
fui	era	sería	fuera / fuese
fuiste	eras	serías	fueras / fueses
fue	era	sería	fuera / fuese
fuimos	éramos	seríamos	fuéramos / fuésemos
fuisteis	erais	seríais	fuerais / fueseis
fueron	eran	serían	fueran / fuesen
fue fácil	era fácil	sería fácil	no creía que fuera/se fácil
it was easy	*it used to be easy*	*it would be easy*	*I didn't think it was/used to be/would be easy*

perfecto	futuro perfecto		perfecto de subjuntivo
he sido	habré sido		haya sido
has sido	habrás sido		hayas sido
ha sido	habrá sido		haya sido
hemos sido	habremos sido		hayamos sido
habéis sido	habréis sido		hayáis sido
han sido	habrán sido		hayan sido
ha sido fácil	habrá sido fácil		dudo que haya sido fácil
it has been easy	*it will have been easy*		*I doubt it has been / will have been easy*

pluscuamperfecto	condicional perfecto		pluscuamperfecto de subjuntivo
había sido	habría sido		hubiera sido
habías sido	habrías sido		hubieras sido
había sido	habría sido		hubiera sido
habíamos sido	habríamos sido		hubiéramos sido
habíais sido	habríais sido		hubierais sido
habían sido	habrían sido		hubieran sido
había sido fácil	habría sido fácil		ojalá hubiera sido fácil
it had been easy	*it would have been easy*		*if only it had been easy*

4. Trouble recognising tenses

- ### Not recognising tenses in English and their equivalent Spanish tenses

Under pressure, it can be difficult to remember which tenses to use, and this can result in a "panic" attempt at verb formation. Take these examples:

It will reduce ~~será reducir~~ → se reducirá	
The probem here is not recognising that the future tense in English is formed with *will + infinitive*. In Spanish, the future tense has its own endings so you should ignore the *will*.	
I'm interested in doing ~~estoy interesado en haciendo~~ → me interesa hacer	
The problem here is translating each bit of the verbal structure word for word. "To be interested in" is an impersonal verb in Spanish: *interesar* (which works like gustar), after which you use the *infinitive*, not the gerund.	
It was going to be ~~fue yendo a estar~~ → iba a ser	
The problem is again thinking that each word is a different verb and tense, instead of recognising clusters of words that form a tense or verbal structure. To go = *ir*, it was going = *iba*	

- ### Not recognising when to use subjunctive tenses

It's also very difficult to spot when to use the subjunctive because in English we often use the infinitive instead.

My parents want me (to go) to university	~~Mis padres quieren me ir a la universidad.~~ Mis padres quieren que **vaya** a la universidad.
"To go" looks like an infinitive, but after *querer que* you always use the subjunctive in Spanish.	
I hope (you liked) the concert	~~Espero te gustó el concierto.~~ Espero que **te haya gustado** el concierto.
"you liked" looks likes the past tense, but *espero que* always takes the subjunctive in Spanish. Because the sentence is in the past, you can't use the present subjunctive, so you could use the perfect subjunctive or imperfect subjunctive *te gustara/gustase*.	
before you (tell) me that I'm crazy	~~Antes de me dices que soy loco...~~ Antes de que **me digas** que estoy loco...
"tell" looks like the present tense but *antes de que* always takes the subjunctive in Spanish.	
after (they pay) us	~~después de nos pagan~~ después de que **nos paguen**
"they pay us" also looks like the present tense, but *después de que* always takes the subjunctive.	
I felt like (I had lost) my best friend	~~Me sentí como yo había perdido mi mejor amigo.~~ Me sentí <u>como si</u> **hubiera perdido** a mi mejor amigo.
"I had lost" is the pluperfect tense but this use of "like" means "as if" and *como si* always takes the imperfect or pluperfect subjunctive in Spanish.	
It's a great idea for you (to set up) a group	~~Es una idea genial para vosotros formar un grupo~~ Es una idea genial que **forméis** un grupo.
"to set up" looks like an infinitive, but an opinion structure using *es + adjective + que* takes the subjunctive, and you don't need *para*.	

5. Moving between different time frames in the same sentence

Try to combine different time frames and tenses in your sentences.

←――――― = looking back	looking forwards = ――――→

When I thought about it, I realised that I would never be able to do it.

←―――   ←―――   ――――→

Cuando **pensé** en ello, **me di cuenta de** que nunca **podría** hacerlo.
    preterite   *preterite*   *conditional*

When I was younger I thought I would be an actor, but it didn't work out like that.

←―――   ←―――   ――――→   ←―――

Cuando **era** más joven, **pensaba** que **sería** actor, pero no **salió** así.
   imperfect   *imperfect*   *conditional*   *preterite*

6. Using the gerund

- The gerund is usually used with **estar** to form a continuous (or progressive) tense:
  Déjame en paz, <u>estoy estudiando</u>.
  Anoche <u>estuvimos bailando</u> hasta las tres de la madrugada.
  Dudo que <u>estén haciendo</u> sus deberes ahora.

- To express the idea of **to keep doing something**, or **to continue doing something**, use the gerund after **seguir** or **continuar**:
  <u>Continuó estudiando</u> toda la noche aunque su examen no fuera/fuese hasta el viernes.

- To express a sense of **while** at the beginning of a sentence:
  <u>Escuchando</u> el nuevo disco de Shakira, me di cuenta de que canta tanto en inglés como en español.

- To express **by doing something**:
  <u>Estudiando</u> las estructuras complejas, mejoré mis notas en español.

- To express **having done something**, use the **haber infinitive** structure, not the gerund:
  Thank you for listening so attentively.   Gracias por haber escuchado tan atentamente.
  After seeing it with my own eyes...   Después de haberlo visto con mis propios ojos...

- You **cannot** use the gerund as a **noun**, like in English; you should use the infinitive instead:
  Studying is fun.   Estudiar es divertido.   (<u>not</u> estudiando es divertido)
  Working with children is hard.   Trabajar con niños es duro.   (<u>not</u> trabajando con niños)

- You **cannot** use the gerund as an **adjective**, like in English; use these special forms instead:
  a growing problem   un problema creciente   (<u>not</u> creciendo)
  the rising tensions   las tensiones crecientes   (<u>not</u> subiendo)
  running water   agua corriente   (<u>not</u> corriendo)
  living conditions   las condiciones en que vive la gente   (<u>not</u> viviendo)

- You **cannot** use the gerund after liking, use the infinitive instead:
  I like reading.   Me gusta leer.   (<u>not</u> me gusta leyendo)
  They like playing.   Les gusta jugar.   (<u>not</u> les gusta jugando)

7. Using relatives

Relative conjunctions (and pronouns and adjectives) are really important to help you build longer sentences. The noun, pronoun or phrase to which the relative refers is called the **antecedent**. You are often tested in Paper 1 on your ability to spot the antecedent in a sentence. To use relatives correctly in Spanish, you need to first think about using a more formal English word order than usual, making sure you don't put a preposition at the end of a sentence:

Usual English	The bus we were travelling **in** was full.
Formal English	The bus, **in which** we were travelling, was full.
Spanish	El autobús, **en el que**, viajábamos iba lleno.
	antecedent relative

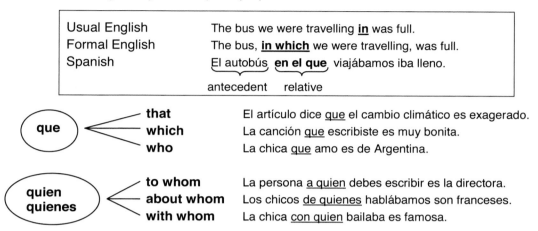

que → **that** / **which** / **who**
- El artículo dice <u>que</u> el cambio climático es exagerado.
- La canción <u>que</u> escribiste es muy bonita.
- La chica <u>que</u> amo es de Argentina.

quien / quienes → **to whom** / **about whom** / **with whom**
- La persona <u>a quien</u> debes escribir es la directora.
- Los chicos <u>de quienes</u> hablábamos son franceses.
- La chica <u>con quien</u> bailaba es famosa.

The difference between **el que** and **el cual** is very subtle. You could say that **el cual** is used in more complex sentences, but sometimes you can use either. **Lo que** and **lo cual** refer to <u>an idea</u> rather than a noun.

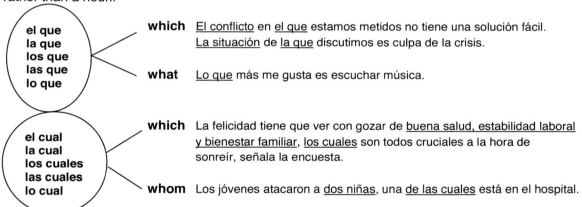

el que / la que / los que / las que / lo que
- **which:** <u>El conflicto</u> en <u>el que</u> estamos metidos no tiene una solución fácil. <u>La situación</u> de <u>la que</u> discutimos es culpa de la crisis.
- **what:** <u>Lo que</u> más me gusta es escuchar música.

el cual / la cual / los cuales / las cuales / lo cual
- **which:** La felicidad tiene que ver con gozar de <u>buena salud, estabilidad laboral y bienestar familiar</u>, <u>los cuales</u> son todos cruciales a la hora de sonreír, señala la encuesta.
- **whom:** Los jóvenes atacaron a <u>dos niñas</u>, una <u>de las cuales</u> está en el hospital.

Either: La policía detuvo a 5 <u>jóvenes</u>, de <u>los que</u> / <u>los cuales</u> dos son inmigrantes.
Aquí están <u>las respuestas</u> sin <u>las que</u> / <u>las cuales</u> no podíamos continuar.

Idea: Cantar está prohibido, <u>lo que</u> / <u>lo cual</u> me parece absurdo.
*The relative refers to the **idea** that singing is banned.*
Las estrategias contra el narcotráfico no han dado resultados, <u>lo que</u> / <u>lo cual</u> significa que las mafias siguen controlando la zona. *The relative does not refer specifically to the 'estrategias', or the 'narcotráfico' or the 'resultados', but to the **idea** that the strategies against drugtrafficking are not working.*

As **cuyo** is an adjective, it agrees with the thing owned, instead of the usual antecedent.

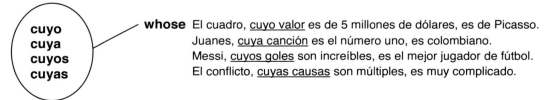

cuyo / cuya / cuyos / cuyas → **whose**
- El cuadro, <u>cuyo valor</u> es de 5 millones de dólares, es de Picasso.
- Juanes, <u>cuya canción</u> es el número uno, es colombiano.
- Messi, <u>cuyos goles</u> son increíbles, es el mejor jugador de fútbol.
- El conflicto, <u>cuyas causas</u> son múltiples, es muy complicado.

8. Avoiding the passive voice

The passive voice is used when <u>the subject becomes the receiver of the action</u>, as opposed to the active voice when <u>the subject does the action</u>:

passive voice

the <u>mouse</u> <u>was killed</u> by the <u>cat</u>

subject   passive verb   agent

el <u>ratón</u> <u>fue matado</u> por el <u>gato</u>

subject   passive verb   agent

active voice

the <u>cat</u> <u>killed</u> the <u>mouse</u>

subject active verb direct object

el <u>gato</u> <u>mató</u> al <u>ratón</u>

subject active verb direct object

In English, the passive voice is formed using *to be + past participle* and *by*, eg:
is done by   was read by   will be finished by   had been seen by

In Spanish, it is also formed by *ser + participio pasado* and *por*, eg:
es hecho por   fue leído por   será terminado por   había sido visto por

The passive in Spanish works well for journalistic and historical texts, for example: *"El castillo <u>fue construido</u> en 1545."* Or *"Los turistas <u>fueron acusados</u> de haber empezado el incendio".* But in most other cases, Spanish usually prefers the active voice. The passive is preferred in English because it is generally better style; the active voice can sound a bit basic. The passive is also a way of avoiding laying the blame on anyone so it is more diplomatic!

The tendency among English speakers to use the passive in Spanish is because it works gramatically to just translate it word for word, and so it seems like the obvious thing to do. Take this example:

> *Dance music <u>is used</u> in fun situations while slow music <u>is used</u> on solemn occasions.*
> The temptation is to write ***es usada***, but actually ***se usa*** is much better

To avoid the passive in Spanish, you need to **a) spot when you are using it** and **b) know what your active options are**. Your active options depend on whether you know who the agent is.

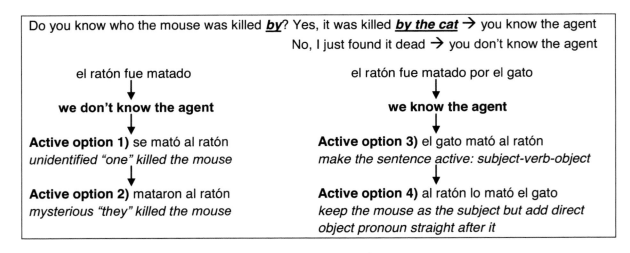

Do you know who the mouse was killed ***by***? Yes, it was killed ***by the cat*** → you know the agent
No, I just found it dead → you don't know the agent

el ratón fue matado   el ratón fue matado por el gato
↓   ↓

we don't know the agent   **we know the agent**
↓   ↓

Active option 1) se mató al ratón   **Active option 3)** el gato mató al ratón
unidentified "one" killed the mouse   *make the sentence active: subject-verb-object*
↓   ↓

Active option 2) mataron al ratón   **Active option 4)** al ratón lo mató el gato
mysterious "they" killed the mouse   *keep the mouse as the subject but add direct object pronoun straight after it*

When there isn't an agent, it's harder to spot the passive voice and to remember to use active options instead, eg:

*The CAS programme **is taken** by all students on the course. (agent = all students)*
→ Todos los estudiantes del curso <u>siguen</u> el programa CAS.
→ El programa CAS <u>lo siguen</u> todos los estudiantes del curso.

*The exams **are taken** in May and the results **are issued** on July 5th. (It doesn't say who the exams are taken <u>by</u> or who the results are issued <u>by</u> = no agents)*
→ <u>Se hacen</u> los exámenes en mayo y los resultados <u>se comunican</u> el 5 de julio.

*Spanish **is spoken** in 21 countries. (by? It doesn't say = no agent)*
→ <u>Se habla</u> español en 21 países.
→ <u>Hablan</u> español en 21 países.

*The film can **be seen** in all cinemas. (by? It doesn't matter or is not relevant = no agent)*
→ <u>Se puede ver</u> la película en todos los cines.
→ <u>Pueden</u> ver la película en todos los cines.

***It was decided** that the benefits outweighed the cost. (who decided? It doesn't say = no agent)*
→ <u>Se decidió</u> que los beneficios superaron a los costes.
→ <u>Decidieron</u> que los beneficios superaron a los costes.

*Everyday, bombs **are being dropped** and innocent people **are being killed**. (the sentence focuses on the consequences and avoids saying who is responsible = no agent)*
→ Todos los días, <u>caen</u> bombas y <u>matan</u> a personas inocentes.

9. Common expressions of time

Remember to use these useful expressions of time to help your writing sound more idiomatic.

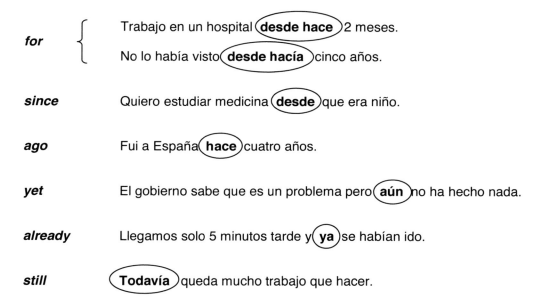

for
Trabajo en un hospital (**desde hace**) 2 meses.
No lo había visto (**desde hacía**) cinco años.

since
Quiero estudiar medicina (**desde**) que era niño.

ago
Fui a España (**hace**) cuatro años.

yet
El gobierno sabe que es un problema pero (**aún**) no ha hecho nada.

already
Llegamos solo 5 minutos tarde y (**ya**) se habían ido.

still
(**Todavía**) queda mucho trabajo que hacer.

10. Using negatives

something **algo**	*nothing* **nada**	*anything* **cualquier cosa**
someone **alguien**	*no one* **nadie**	*anyone* **cualquier persona**
some/a **alguno (algún) / alguna**	*none/no* **ninguno (ningún) / ninguna**	
also **también**	*neither/either* **tampoco**	

- ✓ No tengo **nada** que decir. (*I have nothing to say. / I don't have anything to say.*)
- ✓ Habría hecho **cualquier** cosa. (*I would have done anything.*)
- ✓ No mejorará la situación si **nadie** hace un esfuerzo. (*The situation won't improve if no one makes an effort.*)
- ✓ No hay **ninguna** duda de que las sanciones funcionan. (*There's no doubt sanctions work.*)
- ✓ No hay **ningún** problema. (*There's no problem.*)
- ✓ Los jóvenes **tampoco** quieren causar problemas a sus padres. (*Young people don't want to cause problems for their parents either.*)

11. Using 'lo'

Para hacer**lo**... (lo = it)
Paso tres horas al día tocándo**lo**. (lo = el piano)
Dáme**lo**, por favor. (lo = el cigarro)
Lo terminé antes de salir. (lo = el trabajo)
Se **lo** di a mi madre para su cumpleaños. (lo = el regalo)

it (*lo, la, los, las*)
- *goes* <u>after</u> *infinitive, gerund, positive imperative*
- *goes* <u>before</u> *any conjugated form of the verb eg present, preterite, subjunctive*

No puedo creer **lo** estúpido que fui.
Es difícil imaginar **lo** difícil que es su vida.   **how**
No se da cuenta de **lo** urgente que es.

Lo bueno y **lo malo** de esta situación es que...
Lo fundamental es que sepas cómo usar el subjuntivo.   **the ... thing**
Lo importante es que los gobiernos negocien para resolver el conflicto.

Lo que decía el artículo es que los jóvenes pasan mucho tiempo en Facebook.
Los profes no nos dejan usar el móvil en clase, **lo cual** me parece una tontería.

what
which
see relatives

lo antes posible = as soon as possible
por lo menos = at least   **set phrases**
por lo general = in general

hablar de ~~lo~~ → hablar de **ello**   **you can't use *lo* after a preposition**
pon el libro encima de ~~lo~~ → encima de **ello**   **or at the end of a sentence**

12. *'Le'* or *'se'*?

Using Direct Object Pronouns on their own is not usually difficult, it's when you are using both Direct Object and Indirect Object Pronouns that it gets confusing.

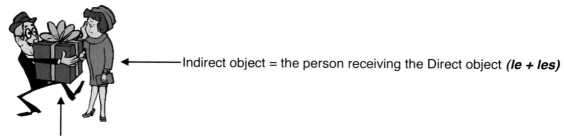

Indirect object = the person receiving the Direct object *(le + les)*

Direct object = the thing being given *(lo + la + los + las)*

When you have both in a sentence, the order is **Indirect object – Direct object – verb**

☺ I gave <u>the present</u> to <u>my mother</u>. → Di <u>el regalo</u> <u>a mi madre.</u>

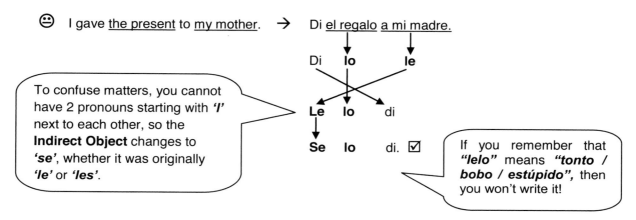

> To confuse matters, you cannot have 2 pronouns starting with *'l'* next to each other, so the **Indirect Object** changes to *'se'*, whether it was originally *'le'* or *'les'*.

> If you remember that *"lelo"* means *"tonto / bobo / estúpido"*, then you won't write it!

☺ Escuché las noticias y luego expliqué <u>las noticias</u> <u>a mis padres</u>.

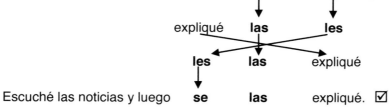

Escuché las noticias y luego **se** **las** expliqué. ☑

☺ ¿Compraste los periódicos para tu padre? Sí, compré <u>los periódicos</u> <u>para mi padre</u>.

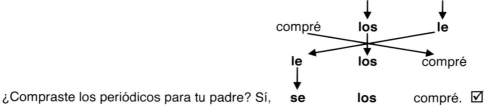

¿Compraste los periódicos para tu padre? Sí, **se** **los** compré. ☑

Grammar exercises 2 – Complex Structures

Translate these sentences, and pay particular attention to spotting possible Complex Structures and Basic Errors before you start:

1. If I had known, I would have done things in a different way.

....

2. I didn't realise how difficult it would be.

....

3. Decisions are taken by all members of the committee.

....

4. A decision will be made after everyone has had a chance to give their opinion.

....

5. What most interests me about this topic is that there is no clear answer.

....

6. It is space, whose frontiers have no limits, that man will keep exploring.

....

7. People have ignored the recycling initiatives, which means that we'll have to think of new proposals.

....

....

8. The students asked for new sports facilities 2 years ago, and nothing has been bought yet.

....

9. It has been a growing problem since the beginning of the financial crisis.

....

10. I want the school to set up a new forum so that everyone can share their ideas, and I hope it will work.

....

....

Answers

Chapter 1: Paper 1

¿SUFRES DE PROCRASTINACIÓN AMBIENTAL?

1. (se) multiplica
2. aplazar
3. imperante
4. nos bombardean
5. poner manos a la obra
6. E
7. H
8. G
9. también afecta a las generaciones venideras
10. C

EL USO DE INTERNET EN EL MÓVIL DISMINUYE LA TELE AUDIENCIA ENTRE LAS 18 Y 20 HORAS

1. F – replantear sus estrategias
2. V – hacer agua la teleaudiencia *["hacer agua" = when a boat gets a leak. In this context it means "to rapidly decline"]*
3. F – los usuarios se olvidan del mando / para disfrutar de su teléfono
4. la franja horaria
5. la radio
6. los contenidos audiovisuales / la televisión
7. anunciantes
8. destinatarios
9. pérdida
10. A

GUÍA DE CONSEJOS PRÁCTICOS POR UNAS FALLAS SEGURAS Y RESPONSABLES

1. sin pasarnos / sin pasarse
2. sin perdernos nada / sin perderse nada
3. tener en cuenta
4. petardos
5. control
6. lugares autorizados
7. los metas en botes y papeleras
8. B
9. A, D, G, H *[en cualquier orden]*

LA COMPETENCIA INTERCULTURAL EN EL ÁMBITO EMPRESARIAL

1. (a) ejecutivos que trabajan una temporada en el extranjero (b) (al) trabajar en un equipo internacional *[en cualquier orden]*
2. jerarquías
3. D
4. F
5. B
6. meramente orientativo
7. creatividad e innovación
8. la lógica de nuestra propia cultura
9. C
10. se ofenda / se ofende
11. tal y como son
12. V – toda una serie de limitaciones
13. V – el comportamiento (de alguien) puede cambiar (radicalmente) cuando actúa con una persona de otra cultura
14. y
15. ante
16. sin
17. con
18. para
19. mediante
20. basta
21. adaptarse / reaccionar
22. mediadores interculturales

AYUDA EN ACCIÓN PROMUEVE LA REPRODUCCIÓN Y SUELTA A MÁS 100.000 TORTUGAS MARINAS EN EL SALVADOR

1. anidar
2. saqueos
3. hacer mella (en)
4. sensibilizar
5. resultado

6. (a) está en peligro crítico de extinción   (b) (es) raro verla anidando (en la Bahía de Jiquilisco) *[en cualquier orden]*
7. (ya se están) incubando en el corral
8. D, F, G
9. generarse posibilidades de ingresos

LA FRÁGIL MEMORIA DE LA INFORMÁTICA

1. de puño y letra
2. impresas
3. ya no anda
4. datos
5. vaya a encontrar *["vaya..." is an expression of exclamation. In this context it means "you'd be lucky to find"]*
6. el ciudadano común
7. los soportes físicos (de la información)
8. (viviendo en una) era oscura
9. chapuzones infértiles (en un gran mar de olvido)
10. F – sucede en todo tipo de organización
11. V – son la memoria de esa civilización
12. V – desapareceremos *["rastro" = trace]*
13. (a) existieron antes de la era digital (b) nació en formato digital *[en cualquier orden]*

14. hardware y software
15. celular
16. urgencia
17. falacia
18. promedia
19. tejido *["red" is feminine]*
20. insólitas
21. inesperadas
22. colosal
23. fervor
24. inabarcable
25. (a) todo habrá sido en vano (b) dejaremos un vacío como legado *[en cualquier orden]*
26. C

LA NOCHE DE SAN JUAN: ALIADA DEL FUEGO Y TRADICIONES POPULARES

1. onomástica
2. cuyos orígenes se pierden en la historia
3. F – purificador
4. F – generalmente en parejas
5. V – agasajan a todos quienes acuden a felicitarlos *["agasajar" = to smother with attention]*
6. F – en sitios soleados

7. (a) cura la melancolía / antidepresivo natural (b) para afecciones dermatológicas *[en cualquier orden]*
8. previo
9. recolectar
10. abundantes
11. se depositan
12. presuntas

'EVA', EMOCIÓN ARTIFICIAL

1. muy comentada
2. vista por cuatro gatos / recibido con un contundente desinterés general *["cuatro gatos" = one or two people]*
3. se llevaron un (merecido) galardón
4. arriesgada
5. tras *["después" would be followed by "de"]*

6. ante *["ante todo" = above all, first and foremost]*
7. tan
8. pero
9. todo se centra en los actores
10. (a) viejas rencillas (b) agrietada relación *[en cualquier orden]*
11. David

12. a Álex / el otro (hermano)
13. a Álex
14. la niña / Eva
15. Caperucita

16. previsible *["desenlace" = ending, so "previsible" = predictable, works better than "endeble" = feeble]*
17. cómico
18. impecable
19. B

EL TECHO

1. arreciaba
2. inundaba la canoa
3. B
4. C *[the clue is "salvaba" – he gets to save the books, so he is relieved. "El ceño se distendió" = his frown eased; "corrió a guarecerse allí" = he ran to take shelter there]*
5. V – esperaba tranquilo
6. F – tronaba sobre el techo
7. F – tenía la sensación de que hacía un mes

8. F – no era nada en comparación del sueño
9. efímera tregua
10. (las botas) (de un hombre exhausto) resbalan sin avanzar
11. D
12. el individuo / Orgaz
13. los libros
14. Orgaz
15. B, F

LA GUARDIA

1. (reía) con embeleso
2. le interpeló / interpelar
3. parecía una invención de los sentidos
4. la solina batía sin piedad
5. a las hormigas
6. como el ronroneo satisfecho de un gato

7. A
8. D
9. me desmoralizó / (me sentía) incómodo
10. dar una vuelta por la plaza de armas
11. F – se levantaron a regañadientes *["a regañadientes" = reluctantly]*

EL DIAMANTE DE LA INQUIETUD

1. (iba yo) bobeando hasta donde se puede bobear / bobeando y divagando
2. C
3. D
4. sonrisa
5. A
6. V – no contestó, pero seguía sonriendo / me miró sin contestar, con (un poquito de) ironía en los ojos

7. F – no he sido nunca de esos hombres indecisos
8. insistencia
9. me aburro como una ostra
10. (lograba) abrir brecha en su curiosidad
11. la partida estaba ganada
12. C

LOS INMIGRANTES

1. que hasta allí fuera afectuosa y buena con él
2. (a) (entrar en el) ayuno (b) las oraciones *[en cualquier orden] ["había cerrado temprano la tienda" and "tomando una pequeña colación" are 2 actions, but not*

rituals, that he does on the eve ("víspera") of Kippur, not actually during Kippur.]
3. hacer burla y escarnio
4. le dio ánimos / dar ánimos
5. cubriéndolo de oprobios
6. B, D, G
7. B

Chapter 2: Paper 2

FOLLETO INFORMATIVO

Vocabulary

events	**los eventos**
festivals	**los festivales**
artists	**los artistas**
bands	**los grupos**
singer	**el cantante**
greatest hit	**el mayor éxito**
enthusiasm	**el entusiasmo**
melodies	**las melodías**
performances	**las actuaciones**
orchestra	**la orquesta**
tickets	**las entradas**
catchy	**pegadizo/a**
electrifying	**electrizante**
culminating	**culminante**
unforgettable	**inolvidable**
famous	**célebre**
to sound like	**sonar (suene – *in present subjunctive*)**

Grammar – Imperatives (tú)

get	**consigue**
don't miss out!	**¡no te lo pierdas!**
expect	**espera**
have a great time!	**¡qué lo pases bien!**

HOJA DE PUBLICIDAD

Vocabulary

Internet	**Internet**
the Net	**la Red**
computer	**el ordenador**
labour market	**el mercado laboral**
resources	**los recursos**
sources	**las fuentes**
email	**el correo electrónico**
social networking sites	**las redes sociales**
knowledge	**los conocimientos / el saber**
skills	**las destrezas**
website	**la página web**

Grammar – Present subjunctive

1. asistir (ellos)	**asistan**
2. empezar (ellos)	**empiecen**
3. salir (ellos)	**salgan**
4. saber (ellos)	**sepan**
5. venir (ellos)	**vengan**
6. adquirir (tú)	**adquieras**
7. estar (usted)	**esté**
8. poder (ellos)	**puedan**

FOLLETO CON CONSEJOS

Vocabulary

bike	**la bici**
seat	**el asiento**
tires	**los neumáticos**
way	**el camino**
cycle paths	**los carriles bici**
lights	**las luces**
hi-viz jacket	**la chaqueta reflectante**
helmet	**el casco**
gloves	**los guantes**
vehicles	**los vehículos**
traffic	**la circulación**
drivers	**los conductores**

Grammar – Imperatives (tú)

1. *check* (comprobar)	**comprueba**
2. *don't forget* (olvidarse)	**no te olvides**
3. *adjust* (ajustar)	**ajusta**
4. *plan* (planear)	**planea**
5. *use* (usar)	**usa**
6. *don't be* (ser)	**no seas**
7. *wear* (llevar)	**lleva**
8. *ignore them* (ignorarlos)	**ignóralos**
9. *try* (procurar)	**procura**
10. *make* (hacer)	**haz**
11. *be careful* (tener cuidado)	**ten cuidado**
12. *stay* (quedarse)	**quédate**
13. *try* (intentar)	**intenta**
14. *follow* (seguir)	**sigue**
15. *design* (diseñar)	**diseña**
16. *sign up* (apuntarse)	**apúntate**
17. *remember* (recordar)	**recuerda**
18. *participate* (participar)	**participa**

"¡más vale prevenir que curar!"
= *Better to be safe than sorry!*

DIARIO ÍNTIMO

Vocabulary

you know how much I like
ya sabes cuánto me gusta

I remember
a) recuerdo   b) me acuerdo de

it reminds me
me recuerda

it puts me in a good mood
me pone de buen humor

it makes me think about
me hace pensar en

it makes me miss
me hace echar de menos (extrañar *in Latin America*)

I feel
(me) siento

it all feels like a dream already
todo parece un sueño ya

to stop thinking about nonsense
dejar de pensar en tonterías

to make the most of
aprovechar / sacar lo máximo de

I'm sure that
seguro que

BLOG

Vocabulary

search	**buscar**
author	**autor**
purpose	**propósito**
to encourage	**fomentar**
archive	**archivo**
labels	**etiquetas**
share	**compartir**
subscribe	**subscríbete**
comments	**comentarios**
publicity	**publicidad**

Grammar – 'Si' clauses

Si no cambiamos algo, el efecto ... será enorme.
Si todos los padres leyeran ... veríamos un aumento...

CARTA INFORMAL

Vocabulary

voluntary work	**el trabajo voluntario**
volunteers	**los voluntarios**
developing country	**un país en vías de desarrollo**
outskirts	**las afueras**
organisation	**la organización**
poverty	**la pobreza**
buildings	**los edificios**
I teach	**enseño**
I found it hard to imagine	**me costaba imaginar**
I didn't have a clue	**no tenía ni idea**
I was wrong	**estaba equivocada**
I have realised	**me he dado cuenta de que**
I am so lucky	**tengo mucha suerte**
I shouldn't complain	**no debería quejarme**

Grammar

Imperfect Tense

I was expecting	**esperaba**
I was a bit afraid	**tenía un poco de miedo**
I didn't know	**no sabía**
I didn't want	**no quería**
I was nervous	**estaba nerviosa**

Preterite tense

I was lucky	**tuve suerte**
I met	**conocí a**
we arrived	**llegamos**
she helped me	**me ayudó**
we went	**(nos) fuimos**

CARTA FORMAL

Vocabulary

excursion	**la excursión**
coast	**la costa**
departure	**la salida**
a seat at the front	**un asiento delantero**
room	**una habitación**
air-con	**el aire acondicionado**

hot water	**el agua caliente**
return journey	**el viaje de vuelta**
quality	**la calidad**
to make a complaint	**presentar una reclamación**
she assured me	**me aseguró**
a total disaster	**un absoluto desastre**
I felt sick	**me mareé**
he refused	**se negó**
delay	**el retraso**
unacceptable	**inaceptable**
disgusting	**asqueroso**

Grammar – Cohesive devices

however	**no obstante**
especially	**sobre todo**
when	**cuando**
then	**luego**
although	**aunque**
firstly	**en primer lugar**
until	**hasta que**
finally	**finalmente**
to top it all off	**para colmo**
as	**ya que**
given that	**dado que**
which meant that	**con lo que / cual**
so	**así que**

CARTA AL DIRECTOR

Vocabulary

fashion show	**el desfile de moda**
the latest edition	**la última edición**
thinness	**la delgadez**
designers	**los diseñadores**
size zero models	**las modelos de talla cero**
publicity	**la publicidad**
self esteem	**la autoestima**
self-destructing	**autodestruyéndose**
body	**el cuerpo**
to turn a blind eye	**hacer la vista gorda**
eating disorders	**los trastornos alimenticios**
attitude / stance	**la actitud**

Grammar – Complex expressions

it displeased me that	**me disgustó que**
it's important that	**es importante que**
it's unacceptable that	**es inadmisible que**

it's essential that	**es imprescindible que**

ARTÍCULO PARA LA REVISTA DEL COLEGIO

Vocabulary

a waste of time	**una pérdida de tiempo**
I used to find it hard	**me costaba**
I'd get bored	**me aburría**
I'd get distracted	**me distraía**
for pleasure	**por placer**
my attitude	**mi actitud**
it's about	**se trata de**
your own taste	**su propio gusto**
influential	**influyente**
to escape	**escaparse**
special powers	**los poderes especiales**
reading groups	**los grupos de lectura**
fictional character	**un personaje ficticio**
without embarassment	**sin vergüenza**
taboos	**los tabúes**
liberating	**liberador(a)**

Grammar - Subjunctive

- **Si + imperfect subjunctive + conditional**

If I were asked... I would say...
Si me preguntaran... diría...

If you read it, you'd never again doubt...
Si lo leyeras... jamás volverías a dudar...

- **Indefinite antecedent**

only 10% have not read a book that they have found memorable
sólo el diez por cien no ha leído ningún libro que haya encontrado memorable

identify with characters that have
identificarse con personajes que tengan condiciones similares

---

ARTÍCULO DE OPINIÓN

Vocabulary

victims	**las víctimas**
the Twin Towers	**las Torres Gemelas**
New York	**Nueva York**
loved ones	**los seres queridos**
events	**los acontecimientos**
terrorist attacks	**los atentados terroristas**
Americans	**los estadounidenses**
war	**la guerra**
cease-fire	**la tregua**
purpose	**el propósito**
headline	**el titular**
democracy	**la democracia**
deep-rooted	**arraigado**
instability	**la inestabilidad**
chaos	**el caos**
armies	**los ejércitos**
rate	**la tasa**
leaders	**los líderes**
withdraw the troops	**retirar las tropas**
governments	**los gobiernos**
AIDS	**el SIDA**
the UN	**la ONU**

Grammar – Present subjunctive

the possibility of it happening again
la posibilidad de que se repita(n)

I doubt the Iraqis feel safe
dudo que los iraquíes se sientan seguros

Not a day passes in which there isn't
No pasa ni un día en que no haya

I can't believe our governments are wasting
No puedo creer que nuestros gobiernos estén malgastando

I'm not saying we should give up on... but instead find...
No digo que abandonemos...sino que busquemos...

CRÓNICA DE NOTICIAS

Vocabulary

clash	**enfrentamiento**
injured / wounded	**heridos**
critical state	**estado crítico**
took place	**tuvo lugar**

witnesses	**los testigos**
fighting	**peleándose**
punching	**golpeándose**
arrested	**detenido**
shaved heads	**cabezas rapadas**
tattoos	**tatuajes**
deep rooted	**arraigado**
jail	**la cárcel**
Council	**el Ayuntamiento**
they blame	**culpan a**
unemployed	**en paro**
they join	**se juntan con**

Grammar – Preterite tense
1. el incidente tuvo lugar
2. insultaron
3. agredieron
4. todo ocurrió muy rápido
5. se dispersaron
6. los golpes que recibió en la cabeza

INFORME

study / investigation	**un estudio**
survey	**una encuesta**
reveals that	**revela que**
a quarter	**una cuarta parte**
according to	**según**
was carried out	**se realizó**
statistics	**las estadísticas**
figure / number	**una cifra**
majority	**la mayoría**
makes evident	**pone de manifiesto**
publicity campaigns	**campañas publicitarias**
for raising awareness	**para la concienciación**
with regards to	**en cuanto a**
to still be in force	**siguen vigentes**

Grammar – Perfect tense
has changed	**ha cambiado**
have had	**han tenido**
has / have stopped	**ha/han dejado**
it hasn't had	**no ha tenido**
has / have done	**ha/han hecho**

PROPUESTA

Vocabulary

Student council	**el comité estudiantil**
class representatives	**los delegados**
meetings	**las reuniones**

growing disinterest	el creciente desinterés
worrying	a) inquietante
	b) preocupante
sense of community	el sentido de la comunidad
survey	la encuesta
statistics	las estadísticas
social skills	las destrezas sociales
team work	el trabajo en equipo
to encourage	animar a
to set up	establecer
to foment	fomentar
a good atmosphere	un buen ambiente
to suggest / propose	proponer

Grammar – Adjectival endings

menor**es**
demasiad**os**
mayor**es**
ofrecid**as**
estresad**os**
organizad**as**
mayor**es**
est**e**
extra-escolar**es**
otr**as**
nuev**as**

Present subjunctive

1) sentirse (ellos)	se sientan
2) dar (ellos)	den
3) tener (nosotros)	tengamos
4) animarse (vosotros)	os animéis

CRÍTICA DE CINE

Vocabulary

genre	el género
script	el guión
film	la película
provides the audience	proporciona al público
it's about	se trata de
plot	a) la trama
	b) el argumento
screen	la pantalla
characters	los personajes
scenes	las escenas

costumes	el vestuario
sound track	la banda sonora
ending	el desenlace
prize	el premio

Grammar – Perfect subjunctive

1) poder (ellos)	hayan podido
2) adaptar (él)	haya adaptado
3) perder (él)	haya perdido
4) poder (él)	haya podido

ENTREVISTA

Vocabulary

as a young girl	de niña
close to my heart	me toca muy de cerca
have had an impact on me	me han marcado
to raise awareness	concienciar
child labour	el trabajo infantil
on the street	en la calle
children's competitions	los concursos infantiles
poor / humble	humilde
money (slang)	plata
to beg	rogar
to defend oneself against	defenderse
to exploit	explotar
human beings	seres humanos
to survive	sobrevivir
to be willing to do	estar dispuesto a hacer
an NGO	una ONG

DISCURSO DE AGRADECIMIENTO

Vocabulary

training	el entrenamiento
the cup	la copa
motivating force	la fuerza motivadora
to admire	admirar
I was embarrassed	me daba vergüenza
athlete	el atleta
competitions	las competiciones
I miss	echo de menos
to get up very early	madrugar
medals	las medallas

determination	la determinación
race	la carrera
look of pride	la mirada de orgullo
team	el equipo

Grammar – Imperfect subjunctive

I never would have thought it were possible
nunca habría pensado que fuera posible.

My mother suggested that I sign up to sports clubs
mi madre sugirió que me apuntara a los clubes de deporte

I tend to get worse grades than I really could if I had more time
suelo sacar peores notas de las que realmente podría sacar si tuviera más tiempo

I see the levels I could reach if I put all my determination into running
veo los niveles que podría alcanzar si pusiera toda mi determinación en correr.

She's sacrificed a lot so that I could live my dreams
Ella se ha sacrificado mucho para que yo pudiera vivir mis sueños

---

Grammar – Complex structures

- **si + imperfecto de subjuntivo + condicional**
Si pudiéramos terminar la extensión del odio, podríamos conseguir...
If we could end the extension of hatred, we could achieve...

Si todos aportáramos nuestro granito de arena seríamos más poderosos que...
If we all put in our grain of sand, we could be more powerful than...

- **para que + presente de subjuntivo**
para que ayudemos...
so that we can help...

para que nuestros hijos y nietos crezcan...
so that our children and grandchildren grow up...

- **es + adjetivo + que + presente de subjuntivo**
Es imperioso que hagamos algo...
It's imperious that we do something...

DISCURSO PERSUASIVO

Vocabulary

citizens	los ciudadanos
hope	la esperanza
peace	la paz
the fight for	la lucha por
I feel passionate about	me apasiona
to appeal to	apelar a
to solve	solucionar
leaders	los líderes
damage	el daño
suffering	el sufrimiento
politicians	los políticos
power	el poder
campaigns	las campañas
NGOs	las ONG
civilians	los civiles
the Middle East	el Oriente Medio
weapons	las armas
hypocritical	hipócrita

INTRODUCCIÓN A CONFERENCIA

Vocabulary

support	apoyar
racial intolerance	la intolerancia racial
controversial	polémico
minority	la minoría
legally	legalmente
to start afresh	en busca de una nueva vida
hosts	los anfitriones
ethnic diversity	la diversidad étnica
integrated	integrado
racism	el racismo
discrimination	la discriminación
barrier	la barrera
immigrants	los inmigrantes
courage	la valentía
to confront	enfrentarse a
encourage/promote	fomentar
raise awareness	concienciar
multiculturalism	el multiculturalismo

Grammar – Present subjunctive

a) hablar (nosotros) **hablemos**
b) tener (nosotros) **tengamos**
c) saber (yo) **sepa**
d) quitar (ellos) **quiten**
e) repetirse (ellos) **se repitan**
f) hacer (nosotros) **hagamos**

they refuse to	**se niegan a**
fault	**la culpa**
to binge drink	**hacer un botellón**
drug dealer (slang)	**el camello**
drug traffiking	**el narcotráfico**
naive	**ingenuo**
available	**disponible**
risks	**los riesgos**
peer pressure	**la presión del grupo**
cool	**guay**
young people / kids	**los chavales**
sensible	**sensato**
a serious problem	**un problema grave**
budget	**el presupuesto**
give a bad reputation	**dar mala fama**
to be prepared to	**estar dispuesto(s) a**

ENSAYO / REDACCIÓN EQILIBRADA

Vocabulary

fact	**el hecho**
is increasing	**está aumentando**
dangers	**los peligros**
they don't realise	**no se dan cuenta de**

Chapter 5: Language

LOCATING INDIGENOUS CULTURES ON A MAP

Aymará	Bolivia, Chile, Peru
Maya	South of Mexico, Guatemala, Belize
Mapuche	South Central Chile, South West Argentina
Kuna	Panama, Colombia
Inca	Peru (language: *Quechua*)
Guaraní	North East Argentina, South West Brasil, Paraguay, Bolivia, Uruguay
Caribes	Guyuanas, North coast Venezuela, Colombia
Azteca	Central Mexico (language: *Náhuatl*)
Nukak	Colombia
Shipibo	Peru

GRAMMAR EXERCISES 1 – BASIC ERRORS

1. It's possible to watch different kinds of programme on satellite television.

Es posible ver diferentes tipos de programa en la televisión via satélite.

Basic errors: spelling: double letters, verbs that mean similar things, accents.

2. I didn't like the music they were playing at the party.

No me gustó la música que tocaban en la fiesta.

No me gustó la música que estaban tocando en la fiesta.

Basic errors: gustar, accents, verbs that mean similiar things.

3. Some people think that the only thing young people want is to have fun.

Algunas personas creen que lo único que quieren los jóvenes es divertirse.

Basic errors: idiomatic expressions translated word for word.

4. Television is not only entertaining but also educational.

La televisión es no solo entretenida, sino también educativa.

La televisión no solo es entretenida, sino también educativa.

Basic errors: pero/sino, agreements.

5. Because of the changes, the students are not happy.

Debido a / A causa de los cambios, los estudiantes no están contentos.

Basic errors: not starting a sentence with porque, ser/estar.

6. You should stop smoking as it's bad for your health.

Deberías dejar de fumar porque / ya que es malo para la salud.

Basic errors: verbs that mean similar things, por/para.

7. If you can't do it, it would be a good idea to ask for help.

Si no puedes hacerlo, sería buena idea pedir ayuda.

Basic errors: verbs that mean similar things.

8. It's important to think about the future.

Es importante pensar en el futuro.

Basic errors: verbs that take prepositions.

9. There is so much rubbish everywhere that it looks like there has been a party.

Hay tanta basura por todas partes que parece que ha habido una fiesta.

Basic errors: set phrases using por, verbs that mean similar things, ser/haber.

10. The event was a success and I'd like to organise it again next year.

El evento fue un éxito y me gustaría volver a organizarlo el año próximo.

Basic errors: verbs that take prepositions.

GRAMMAR EXERCISES 2 – COMPLEX STRUCTURES

1. If I had known, I would have done things in a different way.
Si lo hubiera sabido, habría hecho las cosas de una manera diferente.
Complex structures: si clauses.

2. I didn't realise how difficult it would be.
No me di cuenta de lo difícil que sería.
Complex structures: use of lo, moving between different time frames.

3. Decisions are taken by all members of the committee.
Las decisiones las toman todos los miembros del comité.
Complex structures: avoiding the passive.

4. A decision will be made after everyone has had a chance to give their opinion.
Se tomará una decisión después de que todo el mundo haya tenido la oportunidad de dar su opinión.
Complex structures: avoiding the passive, use of subjunctive to express future, perfect subjunctive.

5. What most interests me about this topic is that there is no clear answer.
Lo que más me interesa de este tema es que no hay ninguna respuesta clara.
Complex structures: use of lo, verbs that work like gustar, negatives.

6. It is space, whose frontiers have no limits, that man will keep exploring.
El espacio, cuyas fronteras no tienen límites, es lo que el hombre seguirá explorando.
El espacio, cuyas fronteras no tienen límites, es lo que el hombre no dejará nunca de explorar.
Complex structures: relatives, use of gerund / negatives.

7. People have ignored the recycling initiatives, which means that we'll have to think of new proposals.
La gente ha ignorado las iniciativas de reciclaje, lo cual significa que tendremos que pensar en nuevas propuestas.
Complex structures: relatives, trouble recognising tenses, verbs that take specific prepositions.

8. The students asked for new sports facilities 2 years ago, and nothing has been bought yet.
Los estudiantes pidieron nuevas instalaciones deportivas hace dos años y aun no se ha comprado nada.
Complex structures: verbs that mean similar things, expressions of time, negatives, avoiding the passive.

9. It is a growing problem since the beginning of the financial crisis.
Es un problema creciente desde el principio de la crisis financiera.
Es un problema que va en aumento desde que empezó la crisis financiera.
Complex structures: use of gerund, expressions of time.

10. I want the school to set up a new forum so that everyone can share their ideas, and I hope it will work.
Quiero que el instituto establezca un nuevo foro para que todo el mundo comparta sus ideas y espero que funcione.
Complex structures: use of subjunctive after key structures (quiero que, para que, espero que).

Recommended resources

www.rtve.es – Radio y Televisión Española – masses of short videos and news clips to practise your listening and broaden your grasp of current affairs.

www.elpais.com – one of Spain's most respected newspaper for news, the politics can be quite dry and difficult for students, but the readers' letters are famous.

www.elmundo.es – one of Spain's national newspapers – useful tabs with Spanish regional focus eg: País Vasco, Barcelona; as well as topics for debate.

www.worldpress.org – if you love news, this is the portal to practically every newspaper in the world, sorted by country, region and political affiliation. Click on World Newspapers and Americas to see what's going on in Mexico, Costa Rica, Uruguay...

www.bbc.co.uk/spanish – this will take you to BBC Mundo, the Spanish section of the BBC World Service. With tabs on Culture and Society, Science and Tecnology, and Latin America, it really is ideal reading material for IB students.

www.bbc.co.uk/languages/spanish/ – there are lots of 'useful fun' things here, like learning Spanish slang!

www.guardian.co.uk/education/languageresourcesspanish – learn genuine phrases for talking about the news, politics, religion, social networking, gossip, and learn how to have an argument in Spanish.

http://www.pyc-revista.com – Punto y coma audio magazine. If you are in the first year of IB it is worth getting this bi-monthly magazine which is packed with fantastic authentic resources, audio material and exercises.

http://www.audiria.com – free online podcasts for different levels.

http://www.miarevista.es/ – A Spanish weekly magazine mainly about contemporary women's issues. Contains useful examples of different Text Types written in a level of language very accessible to IB students, eg: articles and letters to the editor; on pertinent topics such as health, tourism and solidarity.

www.rae.es – La Real Academia Española – the authority on the Spanish language.

www.wordreference.com – online dictionary, very useful for synonyms.

SAT Spanish Subject Test – for clear grammar explanations and tests; buy it on Amazon.

Acción Gramática – New Advanced Spanish Grammar, by Mike Zollo & Phil Turk

Or **Google** the grammar point you want to practise eg: "subjunctive in Spanish" and you will find any number of grammar revision pages.

Acknowledgements

The support and encouragement of many people have been crucial in the writing of this Guide.

First and foremost I would like to thank my IB students, past and present, from The Godolphin & Latymer School, who have given me permission to use their texts and orals, who have tested the materials and given me valuable feedback: Georgia Kandunias, Zoe Walker, Emilie Lockey-Laplanche, Maria Haraldson, Sophie Mathias, Sandhya Sridhar, Ellie Harrison, Julia Masselos, Matilda Ettedgui, Joanna Vijaykumar, Ola Dmitriew, Aphra Pilkington, Morgan Masters, Eleanor Upchurch, Amelie Johansson, Alex Hindley, Olivia Lamming, Hiba Saleem Danish, Sarah Wood, Chiara Brignone, Jenny Bates, Lilli Beard, Cheryl Lim, Jessika Larsson, Gabby Simon, Tessa Denney, Harriet Rivkin, Camila Boyer, Chloë Burrows, Margaux Simon, Tamar Gottesman, Amanda Salvest, Alice Alexandre, Alice McKenzie, Alex Smith, Dima Suleiman, Lea Stam, Catherine Hickey, and Nicole Carter from the OSC Revision Course. Their collaboration and enthusiasm for IB Spanish has significantly contributed to the development of this Guide.

For kind permission to use their original, authentic texts I am grateful to: Concepción Macías Sánchez (www.almanatura.es), Constanza Mahecha (www.zonamovilida.es), Juan Barcala (www.controlaclub.org), Susanne Rieger & Anne Rupp (www.indialogo.es), Amaia Celorrio Amonarraiz (www.ayudaenaccion.org), Hernán M. Di Menna & Andres Hax (www.clarín.com), Manuel Rodríguez (www.entornonatural.net), Juan Luis Caviaro (www.blogdecine.com), Joann Schwendemann (www.doverpublications.com), Meili Luque (http://www.sos.net.ve), Raquel Andrés Durà (www.losangelesnotienenfacebook.com), Javier De Rivera (www.sociologiayredessociales.com). The oral photographs have been included courtesy of: Martin Garri (www.flickr.com), Mirta Melcion, Lourdes Melcion, Karen Poot, Rob Osbourn (www.robosbourn.com). Other images come from http://office.microsoft.com, www.freedigitalphotos.net, and www.copyrightfreephotos.com. The map of Latin America is the author's own.

For their invaluable advice, suggestions and proof-reading I am indebted to: Soledad Cano Martínez, Pilar Bonet, Lourdes Melcion, Alexandra Prodhomme and Julia Sheikh. Any remaining mistakes are entirely my own. I would like to thank my colleagues at the Godolphin & Latymer School for their encouragement throughout this project: Thania Moreno Troya for co-writing the 1st edition, Catriona Roberts, Isabell Jacobson, Toby Seth, Rachel Hart, Anna Romero Wiltshire, Caroline Drennan and Carolyn Trimming, who originally introduced me to OSC. Thanks are due to Simon Watts at Tula Publications, David Russell and all the team at OSC for giving me this opportunity. Last, but not least, thanks to Rob, for his unfailing patience and support.

I hope that the students who buy this Guide enjoy using it and approach their examinations with a greater sense of confidence. I am interested in your feedback, so please email me care of osc@osc-ib.com or get in touch on Facebook/Oxford Study Courses or /IB Spanish Revision Guide.